JÉSUS

La biographie non autorisée

Du même auteur

BIOGRAPHIES ET ROMANS HISTORIQUES

Moïse, L'homme qui devint un héros, Michel Lafon, 2011

Le Jumeau du Christ, Biographie de Jean le Baptiste, Presses de la Renaissance, 2010

Bethsabée, Le secret de la reine de Jérusalem, Presses de la Renaissance, 2008

Flavius Josèphe, Un Juif dans l'Empire romain, Presses de la Renaissance, 2007

La Prophétesse oubliée, Flammarion, 2004

Etemenanki, Le secret de la tour de Babel, Roman historique, Flammarion, 2003

Contes pour le troisième millénaire, L'Archer-PUF, 1999

ESSAIS

Il était une fois les filles, Mythologie de la différence, Actes Sud Jr, 2011

Les Religions, Eyrolles, 2011

Ces femmes martyres de l'intégrisme, Éditions Armand Colin, 2010

La Circoncision, Enquête sur un rite fondateur, In Folio, 2009

La Révolution théoculturelle, Comprendre et gérer la diversité religieuse dans la société, Presses de la Renaissance, 2008

Pour mieux comprendre les religions, Actes Sud Jr, 2008

Tabous et interdits, Actes Sud Jr, 2007

Dieu et l'entreprise, Eyrolles, Éditions d'Organisation, 2006

Dico des signes et symboles religieux, Actes Sud Jr, 2006

L'ABCdaire des signes et symboles religieux, Origines et sens, Flammarion, 2005

Patrick Banon

JÉSUS

La biographie non autorisée

7-13, boulevard Paul-Émile-Victor – Île de la Jatte
92521 Neuilly-sur-Seine Cedex
www.michel-lafon.com

« La vérité appartient à ceux qui la cherchent
et non point à ceux qui prétendent la détenir. »

CONDORCET (1743-1794)

À Sabine, Lou-Salomé et Lancelot.

Avertissement au lecteur

La liste des principaux évangiles et textes apocryphes à la source de cet ouvrage se trouve en page 335.
Les citations en tête de chapitre et au long du texte en sont extraites.

Les termes suivis d'un astérisque* sont regroupés et définis dans un glossaire en fin d'ouvrage, page 317.

Avant-propos

À l'ombre des récits interdits

À sept ans, Jésus avait déjà ressuscité un enfant, donné vie à des oiseaux d'argile et maudit un olivier qu'il dessécha d'un geste ! La version officielle de sa vie, les quatre évangiles canoniques, ne mentionne pas ces épisodes, pourtant racontés dans les évangiles « apocryphes* », des textes écartés par l'Église, cachés et dont elle a longtemps interdit la lecture.

Quelle fut vraiment la réaction de Joseph quand il apprit que Marie* était enceinte ? Comment Marie parvint-elle à convaincre les prêtres du temple de Jérusalem* de sa virginité ? Quels liens unissaient Jésus et Marie de Magdala* ? En fait, quelle fut vraiment la vie de Jésus selon la « religion populaire » que relatent les évangiles apocryphes ?

Entre le IVe et le VIe siècle, l'Église trace la ligne officielle de la vie de Jésus. Ne seront alors inscrits au Canon que les quatre évangiles que nous connaissons, et des textes qualifiés d'« inspirés », dont les Actes des Apôtres*, les écrits de Paul et de Jean…

Seront exclus de la version officielle environ soixante-dix textes, pour la plupart rédigés entre le IIe et le Ve siècle. Ces évangiles « apocryphes », c'est-à-dire « cachés », seront interdits de lecture et de copie sous peine de mutilation ou de mort ! Ils détiennent pourtant la même légitimité historique que les autres évangiles, et témoignent avec précision d'une vision populaire de Jésus et du christianisme en formation. Symboliques et vivants, emplis d'anecdotes frappantes, ils donnent une version « grand public » des écritures.

Ces récits apocryphes présentent un autre intérêt : ils relatent des épisodes de la vie de Jésus absents de la version canonique, comblant les lacunes de l'histoire officielle. On y trouve ainsi : l'histoire de Joseph et celle des parents de Marie, la relation entre Marie et Joseph, la virginité et la grossesse de Marie, la naissance de Jésus, son enfance, la fuite en Égypte, la descente aux enfers de Jésus, le destin de Marie après la crucifixion, le châtiment de Pilate… Et la réponse à quelques questions plus théologiques : Jésus était-il un prêtre du temple de Jérusalem ? Anne, la mère de Marie, était-elle stérile ?

Ces textes donnent une vision souvent plus contrastée et plus humaine de Jésus : loin du personnage parfait et « tout amour » de la Bible, il apparaît ici comme un Dieu juste mais parfois dur, ou vengeur. Un Dieu qui récompense et qui châtie.

Certains passages éclairent aussi d'un jour nouveau les relations de Jésus avec ses proches, en particulier le rôle essentiel de Judas, son disciple préféré, l'amour qu'il porte à Marie de Magdala. Celle à qui il prodigua un enseignement secret entre sa résurrection et son ascension était-elle une initiée plus douée que les autres, ou une véritable épouse dont il était amoureux ?

Malgré les efforts de l'Église pour minimiser leur importance, les évangiles apocryphes ont été transmis par la tradition populaire et contribuent à nourrir le culte religieux : nombre de fêtes actuelles du christianisme en sont inspirées et l'art religieux a perpétué à travers les siècles les récits « interdits ».

Quantité d'ouvrages de qualité ont déjà été publiés autour de la vie de Jésus sur la base des Évangiles canoniques et de leurs interprétations, les uns pour exprimer une foi, les autres pour en nier la légitimité. Et des essais scientifiques enrichissants ont été consacrés à l'étude des textes apocryphes. Néanmoins, j'ai constaté qu'aucun ouvrage destiné au grand public n'avait à ce jour choisi de relater la vie de Jésus sur la base exclusive des évangiles apocryphes. Ce projet, une entreprise à la fois exaltante et immensément difficile, m'a séduit.

Choisir un ton romanesque pour cette biographie non autorisée de Jésus me permet de remettre en scène les récits jadis interdits, d'emmener le lecteur à la source populaire de la pensée chrétienne, à ses liens inaltérables avec le judaïsme, et de faire découvrir le monde, parfois fantasmé, dans lequel est supposé évoluer Jésus, en Galilée* et en Judée*, sous le joug d'Auguste* et de Tibère*, durant le règne d'Hérode le Grand* et de ses fils Archélaüs* et Antipas*. J'ai décidé de conserver les éléments symboliques et le côté merveilleux qui surgissent constamment au détour des récits d'origine.

Je ne cherche pas ici à proposer un ouvrage à vocation scientifique : ce n'est ni une étude historique – les évangiles, apocryphes ou canoniques, sont en effet semés d'anachronismes et d'inexactitudes – ni une contribution à l'histoire des pensées ou des religions. Je me suis attaché à cerner la croyance populaire qui anime ces textes pour mieux dévoiler le regard des premiers chrétiens, juifs ou païens, sur Jésus.

Reflets de la pensée religieuse populaire, à la frontière entre folklore, mythologie et foi, les personnages de ma biographie dressent le portrait d'un monde chaotique, aux limites de la disparition et à la veille de sa reconstruction.

Un temps qui ressemble étonnamment au nôtre.

1

Un enfant terrible

« Je te connaissais avant même que tu sois conçu. »
(*Jérémie* 1, 5)

La vérité sort de la bouche des enfants

« J'ai joué avec vous, car vous vous émerveillez de peu de chose et vous êtes de peu de science et de peu d'intelligence. »

(*Histoire de l'enfance de Jésus*, 6, 2)

Un cri déchirant traverse le village. Un silence lugubre. Puis une longue plainte pousse les portes des modestes maisons de briques crues. Affolés, les Nazaréens se précipitent au-dehors. À l'ombre, ils attendaient somnolant le déclin du soleil pour retourner aux travaux des champs. Les sanglots lancinants de la femme les ont brutalement arrachés à leur torpeur. La surprise d'abord, la peur ensuite les étreint. La mort se trouve là, tapie dans les bois de sycomores. Elle menace chacun dès sa naissance et attend le bon moment pour les prendre, l'un après l'autre. De qui est-ce le tour aujourd'hui ? La douleur d'une mère brisée rappelle à l'ordre les paysans assoupis. « Le jour sans rosée se rapproche. Heureux celui qui n'est pas né », se lamentent-ils.

À l'écart des grandes voies de communication, l'insignifiante bourgade de Galilée voudrait se faire oublier de tous, des Judéens trop proches et si différents, des Samaritains trop lointains et soupçonnés de collusion avec l'envahisseur, et avant tout des Romains et de leurs dieux qui souillent son territoire.

Oubliés de Dieu, les Galiléens se sentent trahis de toutes parts. Les gémissements de cette mère dévastée présagent les pires malheurs. Nul n'échappera au déracinement du peuple ! Ni le juste ni l'impie. Ni le vieillard écrasé de jours, ni le nouveau-né.

Au bord de la détresse, les Galiléens se désolent. « La perdition est notre lot, la disparition notre sort. Rien de bon ne peut sortir de Nazareth* ! » Village si dérisoire qu'il est dénué de murailles, dont le nom même les désigne comme des « rescapés » dans un district de païens. Bien que descendants d'Issachar, neuvième fils de Jacob-Israël et de Léa, ils ne seront pas épargnés et ils le savent. Dissimulés par le parfum des oliviers, les Nazaréens survivent au jour le jour. Le monde est romain, et les enfants d'Israël* n'y sont plus chez eux.

Résigné au pire, tout le village se précipite vers la colline insolente de fleurs joyeuses et d'arbres fruitiers. Les lamentations de la mère viennent du sud où les grottes servent de celliers. Les plus optimistes espèrent qu'un enfant s'est perdu dans le dédale des tunnels creusés dans le roc pour relier les caves entre elles. D'autres s'inquiètent de la fragilité des maisons de brique construites en terrasses au-dessus des grottes, et craignent qu'un nouvel effondrement n'ait enseveli un jeune imprudent.

– Mon fils ! Mon fils ! répète la mère agenouillée devant le corps sans vie.

Le cou brisé, le regard à l'envers, l'enfant fixe sa mère. Pourquoi ne m'as-tu pas interdit de jouer sur les terrasses ? semble-t-il lui reprocher. Le visage défait, elle le prend dans ses bras, le serre contre sa poitrine et tente de le réchauffer. Mais rien n'y fait. Ni larmes, ni caresses, ni baisers. Le corps vide, chiffonné comme un manteau abandonné, gît entre ses mains, étranger à son amour.

Alors à la peine succède la colère. La mère cherche autour d'elle un coupable. Elle accuse du regard tous les visages qu'elle croise. Les paysans à court de consolation scrutent les maisons en quête d'une réponse.

Chacun sait que les toits inclinés de façon à drainer les eaux de pluie vers les citernes sont incertains. Les terrasses en terre battue couvertes d'herbes peuvent être dangereuses. C'est pourtant sur ces fragiles aires de jeux d'enfants que sont construites en branches et en feuillage les cabanes rituelles de la fête des moissons. Les visiteurs de passage y trouvent une chambre accueillante, et les amants une complicité discrète. Mais la plupart des terrasses sont dénuées de balustrade. Les chutes ne sont pas rares, alors tous les regards fouillent les toits des maisonnettes.

– Comment est-il tombé ? se demandent les villageois à la recherche d'une brique descellée.

Mais au sol, aucun indice d'accident.

– Mon enfant n'était pas imprudent ! plaide la mère dévastée, couvrant sa tête de poussière en signe de deuil.

Les Nazaréens vivent cette tragédie dans leur chair. Chaque enfant est une promesse. Une disparition, c'est un monde qui s'évanouit. Les larmes aux yeux, les hommes déchirent leurs vêtements et arrachent des touffes de leur barbe en signe de deuil, tandis que les femmes dissimulent leur chevelure pour éviter de distraire les anges déchus venus accompagner l'enfant vers le monde souterrain. Le Shéol* n'est jamais loin ! se disent les mères en pleurs. Elles savent qu'en accouchant, elles apportent dans le monde à la fois la vie et la mort. Cette injustice leur colle à la peau. Est-ce pour expier cette mort annoncée qu'elles enfantent dans la douleur ? se demandent les hommes impuissants.

– Si je pouvais ramener mon enfant dans mon corps et lui donner naissance à nouveau ! s'écrie la mère en plantant ses doigts dans son ventre douloureux.

– Regardez ! lance un paysan.

Une volée de garçons fuit sur un toit accroché entre deux cavernes. À peine à terre, les garçons se dispersent dans une confusion de cailles affolées. Un seul reste accoudé au bord de la terrasse, contemplant interdit le corps de son compagnon de jeux disloqué sur le sol.

Le paysan pointe un doigt accusateur vers le garçon, le livrant sans appel à la vindicte populaire.

– C'est lui qui a poussé ton fils du haut du toit ! conclut-il hâtivement.

Pourtant, l'enfant n'a pas sept ans. Depuis son retour de trois années d'exil en Égypte avec sa famille, il se trouve régulièrement la cible d'accusations. La moindre altercation, le plus petit incident et le voilà condamné avant même d'être jugé. Nouveau venu dans le village de sa mère, précédé par une réputation trouble, il y reste un étranger par son père jadis installé à Bethléem*, où lui-même a vu le jour. Ses parents d'ascendance judéenne se seraient réfugiés en Galilée pour échapper à la fureur du successeur d'Hérode, le néfaste Archélaüs, qui multiplie les exactions contre les Juifs, sans respect pour les fêtes de pèlerinage de la Pâque et de la Pentecôte.

Depuis son arrivée à Nazareth, les ragots se répandent sur la famille du vieux charpentier. L'étrange grossesse de Marie alimente des soupçons d'adultère. L'âge vénérable de Joseph et cette femme si jeune désignent Jésus comme une anomalie. Son caractère ombrageux nourrit les pires rumeurs. Alors, quand le paysan accuse le jeune garçon de meurtre, tout le village est prêt à le croire.

– Mon pauvre enfant, mon petit Zénon ! Tu n'as pourtant rien fait pour mériter un tel sort ! proteste la mère en croisant les doigts pour conjurer le malheur qui la frappe. Pourquoi mon ventre n'a-t-il pu être ton tombeau ? regrette-t-elle. Ne pas naître ! Voilà le seul moyen de ne pas mourir !

– Malheur à toi ! crie la foule alors que le garçon descend calmement de la terrasse.

Son regard noir ne laisse paraître aucun sentiment. Distant, il ignore les propos outrageants des badauds et n'a d'yeux que pour la mère en larmes penchée sur le corps de son compagnon de jeux. « Heureux le ventre qui n'a jamais enfanté. Heureux les seins qui n'ont pas allaité », pense-t-il en découvrant son visage déformé par la peine.

– Pourquoi l'as-tu poussé ? sanglote la mère. Zénon t'a-t-il jamais causé de tort ?

– Tu te trompes. Zénon était mon ami. Je ne lui aurais fait aucun mal, explique Jésus, la voix trop calme pour convaincre ses accusateurs.

Les paysans qui se sont écartés sur son passage ne croient pas un mot de ses explications. Sa tranquillité insolente les blesse. À leurs yeux, sa chevelure bouclée qui rayonne joyeusement est indécente. Ses lèvres généreuses au sourire bienveillant les troublent. Ils le fixent, pétrifiés devant tant d'horreur. Un enfant tuant un autre enfant. Quelle pire tragédie pourrait frapper Nazareth ?

– Lorsque je l'ai quitté pour jouer avec les autres garçons, Zénon faisait une sieste sur le toit, précise Jésus, sentant bien que l'assemblée l'a condamné d'avance.

Craintive, la foule gronde et devient agressive. Dans quelques instants, les coups risquent de succéder aux insultes. La lapidation n'est pas loin. Jésus prend alors la sage décision de s'éloigner du groupe en colère et de se réfugier dans la maison de sa famille.

Décontenancés par le départ précipité de leur seul suspect, des anciens se dirigent vers les maisons des trois juges du tribunal local pour donner une légitimité à leur condamnation. Désigné par le Sanhédrin*, les trois juges ont en effet le pouvoir de prononcer le *hérem*, l'excommunication, une sentence extrêmement sévère, sans doute la plus redoutée de tous les Juifs. D'autres Nazaréens entreprennent de rassembler les enfants. Après tout, ne sont-ils pas les témoins de ce drame ? Eux pourront confondre le fils de Joseph !

Bénir ou maudire, il faut choisir !

« Fuyez désormais, car c'est un enchanteur, cessez de jouer avec lui ! »

(*Évangile en arabe de l'enfance*, 36)

– Pourquoi soulèves-tu la colère des Nazaréens contre nous ? s'inquiète Joseph en saisissant Jésus par les épaules.

La foule menaçante qui se rassemble devant sa maison inquiète Joseph. Un vent de folie suffit à enflammer les esprits. Un mot malheureux, un regard mal interprété et les hommes redeviennent des animaux ! Joseph est un charpentier, pas un guerrier. Comment pourrait-il empêcher une meute en folie d'entrer et de s'en prendre à Marie et à son fils ?

– Qu'as-tu fait pour que le village se dresse contre toi ? insiste Joseph.

Un songe l'avait jadis averti. Son fils est précieux. C'est lui qui sauvera son peuple, avait promis l'ange dans son rêve. Depuis Joseph n'a eu de cesse de le protéger ainsi que Marie. Mais ce soir Joseph n'est pas prêt à s'enfuir, cette fois il est bien décidé à demeurer à Nazareth jusqu'à la fin de ses jours. Il se tourne vers Marie. Occupée à moudre le peu de blé glané, la jeune femme espère que ces nouvelles rumeurs s'apaiseront d'elles-mêmes.

– Je n'ose plus lui parler ! reprend Joseph. Jésus provoque la haine depuis que nous séjournons à Nazareth. Et il semble heureux d'être haï ! Avertis-le. Fais-lui entendre raison si tu le peux, ou bientôt nous serons persécutés par sa faute, et un jour nous ne trouverons aucun lieu où nous réfugier.

Marie cesse d'actionner son moulin à deux pierres. Elle connaît bien la colline des grottes où le petit Zénon a trouvé la mort. C'est là, environ sept ans auparavant, alors qu'elle puisait de l'eau à la fontaine de l'unique source de Nazareth, qu'elle avait pris conscience de sa grossesse inattendue. Le jour était radieux, des fleurs dansaient joyeusement, l'eau vive coulait en chantant dans sa cruche. Et soudain un ange lui avait annoncé qu'elle était bénie d'entre les femmes, qu'elle enfanterait un fils et le nommerait Jésus. Appelé « Fils de Dieu », il rachèterait les péchés de son peuple, avait ajouté l'ange. Depuis, Marie n'en doute pas : « Rien de mal ne peut arriver à mon enfant. » Une certitude que ne partage pas Joseph.

– Qu'a fait ce garçon pour te provoquer ? demande-t-elle.

– Je ne lui ai fait aucun mal, assure Jésus.

– Trop de gens se plaignent de toi, insiste Marie. Tu dois être prudent.

Joseph, anxieux, surveille par l'étroite fenêtre la population amassée devant leur maison. Cette ouverture est à peine assez large pour que Jésus puisse s'échapper, conclut-il en vérifiant la solidité des tenons de fer qui renforcent la porte.

– Les hommes en foule deviennent violents, prévient-il. Je crains qu'ils ne s'en prennent à nous et je suis trop vieux pour vous défendre, regrette-t-il, soulagé néanmoins que ses quatre autres fils et ses deux filles ne soient pas présents.

Mariés, Juste et Simon, ses aînés, ne vivent plus sous le toit familial. Ses filles Assia et Lydia se sont retirées dans leurs foyers. Seuls Jude et Jacques, célibataires, habitent encore là, mais ils sont heureusement en voyage. Néanmoins, Joseph ne parvient pas à cacher son inquiétude.

– Tu n'as rien à craindre, promet Jésus avec douceur. Ni de moi, ni d'eux.

Puis il embrasse les visiteurs du regard.

– Bien ou mal, chaque parole, chaque acte est suivi d'effet, menace-t-il. Vous devriez le savoir !

– Tu parles comme un insensé ! lance Joseph en lui tirant l'oreille. Pourquoi te conduis-tu ainsi ?

D'un mouvement brusque, Jésus se dégage. Ivre de jeunesse et de connaissances, tel un enfant terrible à l'orgueil incontrôlable, il répond à son père d'un ton sans appel.

– Tâche de ne pas me faire de peine. Tu n'as pas le droit de me molester !

Furieux d'être réprimandé, Jésus se tourne vers ceux qui, par leurs accusations, provoquent l'inquiétude de son père.

– Même si vous n'êtes frappés d'aucune malédiction, vous recevrez inévitablement le châtiment que vous méritez !

Menaçant, le jeune garçon s'approche de la petite troupe et, d'une voix glacée, leur rappelle que quelques-uns d'entre eux sont récemment devenus aveugles. Soudainement, sans raison !

– Vous avez bien dû vous rendre coupables d'une mauvaise action pour ainsi avoir perdu la vue ! lance-t-il à un groupe d'hommes appuyés sur un bâton de marche, le corps fragile et les yeux bandés.

Quelques Nazaréens font un pas en arrière. Ce qu'ils craignent plus que Dieu, c'est bien la magie.

– Vous pensez que je suis responsable de la mort de Zénon ? Vous le croyez vraiment ? Alors soyez prudents ! se moque le jeune garçon en refermant la porte. Je pourrais tout aussi bien m'en prendre à vous !

Pour apaiser son fils et détourner son attention des Nazaréens, Marie prend son visage entre ses mains et dépose un baiser sur son front en lui murmurant quelques mots d'amour. Soudain, une vague d'encens et de myrrhe la submerge. Avec bonheur, elle respire l'eau précieuse dont elle parfuma Jésus à la naissance. Une ivresse rassurante, qui lui rappelle que son fils n'est pas un enfant comme les autres.

– Tu le sais, ce n'est pas la première fois que nous sommes exposés à la colère des hommes. Tu dois apprendre à bénir et non à maudire, ou nous serons bientôt chassés de Nazareth ! insiste Joseph.

L'âme et l'esprit sont comme l'eau et le feu

« La paille qui est dans l'œil de ton frère, tu la vois, mais la poutre qui est dans ton œil, tu ne la vois pas. »

(*Évangile de Thomas*, 26)

Trois coups autoritaires frappent la porte de bois à deux battants que Joseph a taillée de ses mains. Un groupe d'hommes se presse, impatient d'entrer. La barbe fière, les cheveux buissonneux, le regard brûlant, ils insistent. Sûrs de leur fait, ils réclament qu'on leur ouvre.

Vêtus d'un modeste caleçon de laine montant à mi-cuisse et d'une tunique sans manches, la tête couverte d'une calotte, le scribe Hanon, Zachée le maître d'école, puis les dénommés Jacob, Thomas et Ananias se faufilent les premiers. La porte moins haute qu'un homme les oblige à se courber pour pénétrer dans la maison. Suit une petite troupe hésitante de paysans, de vignerons, de coupeurs de sycomores, d'inciseurs de figuiers et de presseurs d'olives. Leur effroi affiché en guise de courage, ils se serrent les uns contre les autres. En Galilée, la peur du mauvais sort paralyse les plus courageux.

– Votre fils a maudit cet enfant qui en est mort ! prétend l'un des accusateurs en tremblant comme une feuille.

– Il l'a poussé du toit ! ajoute un autre, un pied dans la maison et l'autre sur le seuil, prêt à fuir au premier mauvais signe.

Jésus ne bouge pas. Soudain fragile. Sa jeunesse refait surface, certains remarquent ses doigts trembler et ses yeux chercher le soutien de ses parents. Après tout, il ne serait donc qu'un jeune garçon turbulent, se bercent d'illusions les plus imprudents.

Un enfant est une promesse, un miroir dans lequel les anciens peuvent apercevoir le reflet de l'avenir. Une libération pour les uns, une torture pour les autres. Les visiteurs sont tous des pères. Partagés, ils hésitent à passer de l'indignation à la lapidation. La vérité n'étant pas venue dans le monde nue mais voilée, le groupe se scinde en deux.

D'un côté ceux que Jésus dégoûte. Trop laid pour attirer la clémence, il les horrifie. Son visage enfantin semble défiguré par une luminosité inhumaine. Ils se tiennent devant lui, stupéfaits, frémissant à la fois de peur et d'impatience, peur de subir sa colère et impatience de l'arracher à leur village. Ils savent combien cet enfant peut être impitoyable. Épouvantés à l'idée d'être frappés de cécité ou de tomber subitement morts, les Nazaréens évitent prudemment de croiser son regard.

– Nous attendons la venue des juges, préviennent-ils.

– Et celle de tes camarades de jeux. Dès que les autres garçons auront été rattrapés, ils témoigneront de ton crime ! À moins qu'ils ne soient tes complices.

L'autre groupe ne quitte pas Jésus des yeux. Sa jeunesse les rassure. Sa beauté les éblouit. Son regard profond les charme et ses gestes les séduisent. Ce garçon ne ferait de mal à personne, et certainement pas à un autre enfant, estiment-ils. Debout près de sa mère, il respire la bonté. Eux ne croient pas un instant qu'il puisse avoir joué un rôle dans la mort du petit Zénon.

Le mystère de la vérité prend ainsi forme devant eux et en eux. Les uns, éclairés par la clarté de son aspect y voient un mystère exaltant, les autres n'y décèlent qu'une énigme insondable. La main gauche ignore ce que fait la main droite. C'est ce qui permet à chacun de trouver la lumière. C'est aussi ce qui alarme Joseph. Quel jugement attendre d'un aveugle guidé par un aveugle, si ce n'est une injustice ? se dit-il.

– Ce n'est pas la première fois ! Votre enfant a déjà jeté des sorts, commente le plus audacieux. Votre fils est un magicien ! Il n'a pas sa place sur notre Terre.

– Souvenez-vous de cet enfant qui jouait en courant dans le village. Il eut le malheur de bousculer Jésus et s'écroula quelques pas plus loin !

– Certains ont même entendu Jésus marmonner : « Tu n'iras pas plus loin », ajoute Jacob.

Les regards s'évitent. La peur paralyse la chair et l'esprit. Marie garde son fils contre elle pour le protéger, mais aussi pour l'empêcher de réagir.

– Cet enfant avait perdu connaissance. Jésus n'y était pour rien, plaide Joseph.

– Jésus fait périr nos enfants ! Qu'on le chasse de Nazareth avec sa famille !, s'écrie Jacob.

Le scribe Hanon avance vers Joseph, les épaules voûtées par la peine. Le tremblement de ses lèvres et de ses mains trahit le bégaiement de son âme.

– Tu es un père, comme je le suis. Tu dois comprendre notre colère.

Joseph baisse les yeux. De caractère juste et pieux, il ne peut dissimuler son embarras.

– Mais Jésus ne nous a jamais fait de mal ! lance un jeune garçon, aussitôt tancé par ses parents.

Encouragé par ces propos, Salem, le seul teinturier de Nazareth, se redresse à son tour.

– C'est vrai. Jésus veut bien faire. Je peux en témoigner. Un jour, alors qu'il s'amusait avec d'autres garçons du village, il s'est précipité dans mon atelier, a saisi toutes mes étoffes et les a jetées dans la chaudière ! Une plaisanterie d'enfant, certes, mais qui risquait de me coûter très cher !

Joseph honteux, hoche la tête.

– Tes étoffes ont été gâchées. J'en suis désolé. Je réparerai ta perte si tu le souhaites.

– C'est vrai, Joseph, je me préparais à teindre ces étoffes de diverses couleurs, et je crus qu'elles étaient gâchées. Soixante-douze étoffes blanchies ! Naturellement, la perte financière était importante mais surtout, je me sentais honteux pour mes clients que je ne pouvais plus satisfaire.

Salem mime son désespoir, allant et venant en se tirant les cheveux.

– « Qu'as-tu fait, fils de Marie ? m'écriai-je. Mes clients demandaient des couleurs différentes et voici des semaines de travail perdues ! »

– Cela ne m'étonne pas de ce garçon ! s'exclame un paysan. Il fait du tort à tout le monde.

Salem fait signe au paysan de se taire alors que Jésus pose une main sur l'épaule de Joseph, comme pour le rassurer et lui demander d'attendre la suite.

– Quand j'ai annoncé à Jésus que mes étoffes étaient perdues, poursuit le teinturier, il m'a simplement promis : « Quelle que soit la couleur que tu destinais à chaque pièce, tu la retrouveras intacte. »

Le teinturier prépare son effet, faisant mine de sortir ses tissus d'une chaudière invisible. Jésus, qui connaît la suite de son histoire, lance un sourire désarmant à Marie.

– Aussitôt, dit-il, Jésus se mit à retirer une par une les étoffes du bain bouillant… Et chacune arborait la couleur désirée par le client !

Une vague de brouhaha mêlé de surprise et de crainte parcourt les Nazaréens.

– Jésus veut bien faire. Ne lui en tenez pas rigueur, plaide le teinturier.

Dans l'assistance, les hommes ne savent plus que penser. Si cet enfant n'est animé que de bonnes intentions, comment aurait-il pu tuer un autre enfant ? Les femmes, par contre, croient tout à fait possible qu'un innocent puisse être un meurtrier. Après tout, Dieu ne tue-t-il pas sans distinction les jeunes et les vieillards, les justes et les méchants ? Combien d'enfants expirent avec leur premier souffle ? La discussion se passionne au point que le teinturier doit élever le ton pour ramener un semblant de silence.

– Écoutez-moi ! Vous devez en savoir davantage sur Jésus ou vous ne pourrez jamais vous faire une juste opinion sur lui.

Le calme revenu, le teinturier poursuit son récit.

– Joseph l'a formé au métier de charpentier et lui a appris à dégrossir et équarrir le bois, à fabriquer des portes, des lits, des jougs et des charrues, plaide Salem. Il a fait son devoir de père en donnant un métier à son fils. Mais je l'avoue, Jésus ferait un meilleur teinturier qu'un charpentier. Il a récupéré toutes les couleurs perdues à son premier essai !

– Alors pourquoi ne change-t-il pas les couleurs de l'arc-en-ciel, puisqu'il est si doué ? ironise un marchand d'huile d'olive.

La plupart des paysans ne croient pas aux talents exceptionnels de Jésus. Ils ne décèlent dans ses actes que magie et sorcellerie. Cet enchanteur empêche l'expiation du peuple. Tant que ses pratiques interdites souilleront la Galilée, Yahvé ne reviendra pas sur la terre d'Israël !

– Le superstitieux ne saurait être pieux ! déclare le scribe Hanon. Les textes saints sont formels : « Qu'on ne trouve personne chez toi qui pratique la divination, use de charmes ou de sorcellerie, ou opère un enchantement ! »

L'ignorant s'exile dans la magie. N'est-ce pas l'usage des femmes et des enfants – moins instruits que les hommes – que de se réfugier dans les sortilèges ? Qu'un enfant noue un fil rouge autour de son doigt pour conjurer le sort, qu'un idolâtre écoute l'aboiement d'une chienne en chaleur, observe si un serpent ondule vers la droite ou vers la gauche, guette le croassement d'un corbeau ou la direction des nuées pour lire des présages interdits, cela ne prouve que leur ignorance. Il ne s'agit pas de pouvoir mais de faiblesse ! Voilà ce que pense de Jésus la population. Beaucoup restent convaincus que le fils de Joseph a tué volontairement son compagnon de jeux ; et pour cela, il doit être châtié.

Un témoin irréfutable

« Jésus prit l'enfant mort par l'oreille et le souleva de terre devant tout le peuple… »

(*Évangile du Pseudo-Matthieu*, 1, 29)

La lune fait son apparition. L'heure du jugement approche. La foule rassemblée devant la maison de Joseph s'agite. Un brouhaha impatient accompagne l'arrivée des trois juges. La barbe longue comme un jour sans pain, les notables froncent leurs sourcils broussailleux et lancent des regards furieux en guise de salut. La justice des hommes n'aime pas être dérangée. Car tout tribunal le sait, il n'existe pas de jugement juste. La vérité n'est pas de ce monde. Arrachés à leurs champs, les trois hommes ont troqué à regret le soc de leur charrue pour brandir le glaive de la justice. Tout ce dérangement pour juger un enfant ! se disent-ils alors que la mère du petit Zénon se précipite à leur rencontre en pleurant et, accrochée à leurs manteaux, réclame justice pour la mort de son garçon.

Sans prendre la peine de frapper à la porte ni de s'annoncer, les juges font irruption dans la maison. Un silence respectueux les accueille. Aux yeux des Nazaréens, c'est tout le Sanhédrin qui siège à travers ces trois représentants ; une lignée ininterrompue depuis le tribunal établi par Moïse lors de l'exode d'Égypte.

Toute la famille judéenne se trouve jugée. Une condamnation de Jésus à l'exil les frapperait tous. Joseph est le plus anxieux. Son âge avancé lui laisse peu d'espoir d'une nouvelle vie. Comment pourra-t-il protéger Marie et Jésus s'ils sont contraints de vivre dans une perpétuelle errance ? Il s'inquiète : une fois son âme envolée, ceux qu'il chérit resteront sans défense.

Il le devine, le chaos qui va frapper la Judée est imminent. Le joug des Romains se fait plus lourd chaque jour. La nation d'Israël se déchire déjà entre les partisans des prêtres qui ne reconnaissent que la loi écrite, les écoles pharisiennes* d'Hillel et de Shammaï qui se disputent les interprétations de la loi orale, et de nouveaux mouvements zélés qui séparent le monde entre pur et impur. Alors Joseph tremble déjà à l'idée que, ses jours épuisés, il ne pourra plus rien pour épargner à sa famille un sort funeste.

Marie, élevée dans l'enceinte du temple de Jérusalem de trois à douze ans, a été consacrée au culte de Yahvé dès son enfance. Emplie de la présence divine, occupée toutes ses jeunes années à méditer la Loi et à distribuer aux pauvres les aliments remis par les prêtres, elle ne doute pas de la destinée de son fils, mais s'inquiète des souffrances qui pourraient lui être infligées.

Jésus ne cille pas. Certains se demandent s'il réalise bien ce qui se passe. D'autres lisent dans sa tranquillité la preuve de son innocence. Il dévisage les juges un par un, puis observe les Nazaréens. Les accusateurs se sont groupés à sa gauche et les défenseurs à sa droite. La peur vient toujours à bout du bon sens. À l'évidence, son sort est scellé. Les juges ont statué avant même d'avoir entendu sa version du drame ; dans le doute, mieux vaut condamner qu'acquitter. N'est-ce pas la justice des foules en colère ?

Joseph ne nourrit d'espoir que dans le témoignage des camarades de jeux de Jésus. Ils étaient sur le toit quand le malheureux Zénon est tombé. Ils connaissent la vérité.

Eux seuls pourraient innocenter son fils. Alors que les juges se préparent à énoncer leur verdict, un ancien les interrompt.

– Nous avons retrouvé les enfants qui étaient présents au moment du drame. Ils sont ici, prêts à nous dire la vérité.

Soulagé, Joseph se précipite pour les accueillir. À leurs yeux rougis par les larmes, il comprend toutefois qu'ils ne sont pas venus de leur plein gré. Accusés par les notables de Nazareth d'avoir participé à la mort de Zénon, menacés des plus sévères châtiments, les témoins se préparent à transgresser le huitième commandement de la loi de Moïse : « Tu ne feras pas de faux témoignage contre ton prochain. » C'est pourtant le contraire de la vérité qu'ils viennent énoncer. Ils ont choisi d'accuser Jésus, de crainte qu'en le défendant ils ne soient considérés comme ses complices.

Jésus ne les quitte pas des yeux. Eux fuient son regard. Honteux, ils ne réalisent pas qu'en trahissant leur camarade, c'est leur enfance qu'ils condamnent. Lui ne leur destine aucun reproche. Comment vivront-ils leurs vies d'adultes, l'âme flétrie par un faux témoignage aux si lourdes conséquences ?

– Nous avons vu Jésus et Zénon se disputer sur la terrasse, commence l'un des enfants.

– Il y a eu une bousculade et Zénon est tombé du toit, renchérit un autre.

Jésus ne leur adresse pas la parole. Il sourit à Marie pour la rassurer, glisse quelques mots affectueux à Joseph, puis se tourne vers ses juges.

– Il n'y a pas eu de dispute entre Zénon et moi, déclare-t-il d'une voix douce. Je ne l'ai pas poussé, répète-t-il simplement.

Ses compagnons baissent la tête, alors que les Nazaréens commencent à se disputer. Les uns mettent en doute le témoignage des enfants, les autres condamnent la défiance traditionnelle des Galiléens envers les étrangers. L'affaire semble résolue. Le verdict ne fait aucun doute.

Joseph désespéré serre Jésus dans ses bras. Comme tout parent, il prend la défense de son enfant.

– Ces petits n'ont pas dit la vérité ! Mon fils ne peut commettre de meurtre. Je le sais. Marie le sait. Salem le teinturier vous l'assure. Pourquoi ne voulez-vous pas nous croire ?

Les juges échangent des regards entendus avec les accusateurs. Les témoignages ont conforté les soupçons qui pèsent sur Jésus. Après tout, il est bien le dernier à avoir été vu sur le toit. Ses compagnons l'ont désigné comme le seul coupable de ce drame. Et ses antécédents ne plaident pas en sa faveur. La rumeur rapporte qu'il aurait déjà provoqué la mort d'un enfant. Jésus n'hésiterait pas à lancer de terribles malédictions envers ceux qui lui déplaisent, dit-on. L'opinion du tribunal était faite avant même d'entendre le témoignage de ses camarades.

– C'est donc toi qui as poussé le jeune Zénon du toit ! conclut un juge.

– As-tu une déclaration à faire pour ta défense ? propose un autre représentant du Sanhédrin.

Jésus s'éloigne de ses parents et s'avance vers les juges.

– Moi je n'ai rien fait contre Zénon, répète-t-il. Mais puisque vous en doutez, il suffit de demander à l'intéressé ce qui s'est vraiment passé.

Un silence lourd comme un ciel de plomb s'abat sur l'assemblée.

– Que veut dire ce garçon ? De qui parle-t-il ?

– Il veut que Zénon témoigne en sa faveur !

– Il a perdu la tête ! C'est évident !

Jésus ouvre la porte et sort d'un pas décidé.

– Puisque c'est ce qu'il faut pour que les aveugles voient, suivez-moi ! lance-t-il agacé.

Interloqués, les Nazaréens se pressent derrière lui.

– Zénon nous dira la vérité ! ajoute-t-il en se dirigeant vers la maison de son camarade de jeux.

Les parents de l'enfant, accompagnés par Joseph et Marie, prennent la tête du cortège. Puis viennent les juges, les accusateurs et les défenseurs. Seuls les témoins ralentissent le pas.

Une fois devant le corps inerte, menaces, lamentations et disputes se ravivent. Jésus imperturbable s'approche de la dépouille. Pour être bien entendu par l'assemblée, il élève la voix.

– Réveille-toi, Zénon ! intime-t-il.

L'assistance se tait. Ni moquerie ni défiance, mais une anxiété pesante devant la certitude de ce jeune garçon qui s'adresse à ce cadavre comme s'il était seulement plongé dans un profond sommeil.

– Parle ! Dis si c'est moi qui t'ai fait tomber !

Le corps glacé reprend des couleurs tandis que l'assistance pâlit. Lentement, l'enfant sort de sa torpeur. Stupéfaite, la foule retient son souffle. Un mort qui revient à la vie, c'est de la magie ou un acte de Yahvé. Affolés et émerveillés, les Nazaréens se prennent à rêver que ce jeune garçon est capable de sauver les âmes de la mort et qu'il en sauvera ainsi chaque jour de sa vie.

– Tout est ma faute, explique Zénon. J'ai causé mon propre malheur. La chaleur du soleil, la fatigue aussi d'avoir joué sans me désaltérer… Je me suis assoupi au bord du toit. Arriva ce qui devait arriver, je suis tombé endormi de la terrasse et me suis brisé la tête contre le sol. Jésus n'est pour rien dans ma chute.

Jésus observe la foule figée de peur et d'espoir. Devant eux un mort est ressuscité ! Épouvantés ou admiratifs, les Nazaréens ne savent que penser de ce bouleversement dans l'ordre naturel des choses. Ils passent leur vie à réclamer des signes surnaturels, mais quand ils assistent à l'irruption d'une œuvre céleste sur la terre des hommes, ils se prennent à douter. S'il est possible de ramener un mort à la vie, alors certains croiront que l'autre monde ne les attend plus. La lumière et les ténèbres ne feront plus qu'un. L'ordre des saisons, le cycle des étoiles, du soleil et de la lune, plus rien n'assurera le temps des hommes. Alors, ils n'attendront plus rien de la vie. Un vide qui assèche tous les espoirs.

Le réveil de Zénon sonne pour certains comme une promesse, pour d'autres comme une malédiction. Ce pouvoir n'est pas de ce monde. Il n'a pas à se manifester ici. L'autre monde est l'affaire de Yahvé. Aucun vivant n'est autorisé à aller et venir entre la Terre et le Shéol. Devant leurs yeux effarés, Jésus vient de franchir les limites de la magie et de la sorcellerie pour empiéter sur celui de la puissance divine.

La mère de Zénon se confond en excuses et glorifie celui qu'elle condamnait sans appel quelques instants auparavant. Le mort s'est levé. Seule sa terrible blessure à la tête pourrait rappeler l'accident dont il a été victime. La tragédie ne s'achève pourtant pas avec son témoignage. Certes, la vérité a jailli de l'autre monde. Jésus est innocenté. Mais quel sera le sort de Zénon ? Son réveil le sauve-t-il de sa chute ? Sa vie recommencera-t-elle comme si rien n'était arrivé, ou sa destinée suivra-t-elle son cours ? La foule muette suit les moindres gestes de Jésus. Zénon se tient immobile. Étourdi autant par sa chute que par son réveil, il titube. Vers quel monde basculera-t-il ? Sa mère en larmes espère son retour parmi les vivants comme la chance d'une nouvelle existence. Mais au regard sombre de Jésus, elle comprend déjà qu'elle a perdu son fils pour toujours. Elle ne décèle aucune compassion chez le jeune garçon, mais ne parvient pas à le détester. L'autre monde existe bien, se dit-elle, et mon fils y connaîtra un sommeil paisible jusqu'au jour du Jugement universel annoncé par les prophètes, de l'instauration du royaume de Yahvé et de sa victoire définitive sur les forces du Mal. Zénon n'aura pas eu le temps de pécher et part innocent, pense-t-elle rassurée et impatiente de le retrouver pour la vie éternelle. La foule retient son souffle. Imperturbable, Jésus pose sa main droite sur l'épaule de Zénon et avec douceur le renvoie vers le pays des morts.

– Les jours qui t'ont été donnés à ta naissance sont écoulés. Rendors-toi maintenant, murmure Jésus. Retourne au côté de notre Père.

Zénon retourne dans l'autre monde sous le regard pétrifié de sa mère. Le destin d'Israël semble suivre son cours tragique. La foule croyait assister à un miracle, elle n'aura été témoin que de la précarité de son propre sort. Que Zénon soit mort, ressuscité et finalement renvoyé au Shéol déçoit les uns qui espéraient venu le temps de l'immortalité, et rassure les autres qui ne voient dans ces prodiges que des obstacles à la révélation du Sauveur promis par les prophètes. Jésus les épouvante. Sa froideur impassible leur paraît inhumaine. Tous cependant veulent en savoir davantage sur cette étrange famille et sur ce jeune garçon capable de parler aux morts. Nécromancie ou prophétisme ? La plupart des Nazaréens se perdent en conjectures.

C'est Thomas, partagé entre émerveillement et suspicion, qui prend l'initiative d'une première question.

– Ta famille et toi vous êtes réfugiés en Égypte durant trois années, n'est-ce pas ?

Joseph, soulagé que l'innocence de son fils soit établie, confirme d'un soupir leur séjour dans cette contrée.

– Que fuyiez-vous ? Jésus avait-il déjà jeté des sorts ?

Un vigneron renchérit :

– Vous avez été chassés de Bethléem ! J'en suis certain. Quel crime aviez-vous commis ? Dites-le-nous !

Leurs trois ans d'exil et la fuite en Égypte restent un souvenir douloureux pour Joseph.

– Il fallait sauver Jésus du massacre des enfants de Bethléem décidé par le roi Hérode ! explique-t-il.

Les Nazaréens n'ont pas oublié la cruauté du roi iduméen* placé sur le trône par l'empereur Auguste. Sa traque impitoyable des garçons de deux ans coupables d'être nés à Bethléem a laissé une plaie inguérissable dans leur cœur.

En quelques mots, le récit de Joseph les transporte à El-Léaphra, la « Maison de poussière », l'autre nom tragique de Bethléem…

2

Retour à Bethléem

*« C'est de la maison de David**
et du bourg de Bethléem où était né David
que le Messie doit venir. »*
(Jean, VII, 42)

De la Maison de poussière à la Maison du pain

« Il y eut un édit de César Auguste ordonnant à chacun de retourner dans sa patrie. »

(*Évangile du Pseudo-Matthieu*, 13)

C'est à Bethléem que tout commença. C'est donc à Bethléem que tout recommencera. L'accomplissement des prophéties réside toujours dans le temps et le lieu de leur révélation. Il ne peut y avoir de futur si le passé n'est pas perpétuellement renouvelé. Le moindre village fait parfois office de centre du monde, un lieu insignifiant, souvent misérable, capable de percer l'armure d'un empire, sans guerriers, avec pour seule arme une mémoire impérissable.

Bethléem, la « Maison du pain », se situe à la limite du désert et des terres cultivées, entre Hébron et Jérusalem. Bergers et paysans s'y retrouvent pour rompre le pain entre des collines rocailleuses et des champs d'oliviers.

La bourgade dévolue à la tribu de Juda porte encore inscrite dans son sol l'espérance des enfants d'Israël. C'est là que se trouve la tombe de Rachel, l'épouse aimée du patriarche Jacob. C'est là aussi que le roi David vit le jour. La place forte d'antan devenue un modeste village résonne encore des oracles des prophètes d'Israël.

Bethléem a été désignée comme le lieu où naîtra le Sauveur. La prophétie de Michée* est dans tous les esprits : « C'est de toi Bethléem que sortira celui qui régnera sur Israël. » L'héritier de David, issu de la tribu de Juda, y verra le jour. C'est écrit dans les textes. Capitale de cœur de la Judée, buisson ardent de la ferveur populaire… Les Romains et leur allié Hérode le Grand surveillent avec suspicion cette Bethléem dont ils craignent la nostalgie monarchique et une contamination religieuse vers Jérusalem. La moindre braise pourrait provoquer le pire des incendies. Se prétendre descendant de David est désormais passible de la peine de mort, car c'est ici que la parole divine s'inscrit dans le temps des hommes.

Chaque enfant qui naît dans la cité représente une menace pour la *Pax romana* et pour le trône d'Hérode l'Iduméen. Les prophéties hantent depuis sept siècles déjà les occupants successifs de la Terre promise, nourrissant les espoirs les plus fous de son peuple.

– L'édit de l'empereur Auguste exigeait que chacun se rende dans son lieu d'origine pour le grand recensement. Marie et moi-même sommes de la tribu de Juda et de la Maison de David, alors, à contrecœur, nous avons quitté Jérusalem et nous sommes rendus à Bethléem une première fois, explique Joseph à Thomas.

Le cens organisé par le gouverneur Quirinus a pour objectif de sceller définitivement les chaînes d'Israël. La Judée, rattachée à la province romaine de Syrie dans le calcul et le recouvrement des impôts, n'est plus qu'un territoire conquis comme un autre, de la terre à piller, de la chair à flétrir. Les Romains méprisent les Juifs qu'ils considèrent nés pour la soumission. Ils n'hésitent plus à piétiner leurs croyances. La circoncision leur fait horreur, le rejet du porc et du sang les fait rire, et ils associent le respect du repos du septième jour à une paresse chronique. Terminée, la tolérance des cultes étrangers, y compris sur leur propre terre !

Asservis par nature, selon les propos de Cicéron, les Juifs le sont désormais par décision administrative. Pire encore, le recensement éloigne davantage Yahvé de la Terre promise, rendant impossible la libération de son peuple. Compter les enfants d'Israël est considéré comme un acte diabolique, le viol d'un interdit exprimé jadis par le prophète Samuel, celui-là même qui oignit David et le fit roi d'Israël. Le chiffre de la population doit être incalculable. Les hommes ne sont pas du bétail ! Nul homme n'a le droit de les compter. L'erreur commise jadis par le roi David de dénombrer Israël et Juda provoqua trois jours de peste dans le pays. Il est hors de question de répéter cette erreur ! Déjà des mouvements de résistance s'organisent : ne pas apprendre d'autre langue que l'hébreu, ne pas faire de commerce avec un étranger, ne pas donner sa fille à un idolâtre. Les uns veulent purifier la Terre promise par la séparation d'avec l'occupant romain, d'autres souhaitent périr au combat et hâter par leur propre disparition le retour de Yahvé sur Terre. D'autres encore devinent derrière les souffrances d'Israël l'épreuve ultime annonçant l'imminence de la révélation du Sauveur promis par les textes.

– Se soustraire au recensement fut pour les plus zélés une façon de s'opposer à l'occupant et d'exprimer sa confiance dans le dieu d'Israël, rappelle Joseph des sanglots dans la voix.

– L'as-tu fait ? Est-ce pour cela que tu as fui en Égypte ? insiste Thomas.

Joseph lance un regard attristé à Marie en serrant affectueusement Jésus contre lui.

– Marie était enceinte. J'avais déjà la responsabilité de six enfants et j'étais trop âgé pour faire la guerre aux Romains, regrette-t-il. J'avais le devoir de ne pas mettre ma famille en danger.

Des murmures d'acquiescement viennent soutenir son choix. Mais Joseph ne confie pas à l'assistance le dilemme qui le torturait alors. Quel rang donner à Marie lorsqu'il enregistrerait ses fils et ses filles à Bethléem ? Épouse, sœur, ou fille ? Il ne leur dit pas non plus combien il avait été réticent à accueillir Marie dans sa maison, ni sa honte quand il avait appris sa grossesse.

Marie est tirée au sort

« Que quiconque est sans épouse vienne
et qu'il porte une baguette dans sa main. »

(*Évangile du Pseudo-Matthieu*, 8)

Trois ans avant le recensement, la destinée de Marie se préparait à Jérusalem. Jamais Joseph n'aurait pu imaginer que leurs chemins allaient se croiser. Lui qui n'envisageait pas de se marier à nouveau se trouva contraint d'accueillir dans sa famille la jeune fille la plus pure du Temple.

Après tout, Marie ne lui fut-elle pas confiée par les prêtres du temple de Jérusalem par un tirage au sort, rite privilégié pour interroger la volonté divine ? Après le Déluge, les territoires attribués aux trois fils de Noé furent bien tirés au sort, comme l'est aujourd'hui encore la répartition des tâches des prêtres officiant au sanctuaire. Ce procédé ne remet pas une décision au hasard, il soumet au contraire les hommes à l'élection divine. Le choix de celui qui prendrait la responsabilité de Marie ne dépendait ni de son rang, ni de sa fortune, mais du grand dessein que Yahvé réservait à son peuple. Et voici comment Joseph fut désigné.

Âgée de douze ans, la jeune fille ne peut séjourner plus longtemps dans le Temple sans prendre le risque de le souiller de son premier sang. Bientôt pubère, Marie est désormais cantonnée à la cour orientale destinée aux femmes. Il lui est interdit comme à toutes d'accéder au parvis d'Israël réservé aux seuls hommes en état de pureté rituelle. Il faut donc confier Marie à un homme pieux et juste désigné par Yahvé.

Pour choisir la tribu dont sera issu l'époux à lui donner, douze rameaux d'olivier, un par tribu d'Israël, sont liés en botte. Un seul en est extrait. Le sort désigne la tribu de Juda, issue du quatrième fils du patriarche Jacob. Un choix indiscutable puisque Juda, la plus influente des tribus, reste auréolée par son héroïsme aux côtés de David le Bethléemite, qu'elle proclama jadis roi d'Israël dans la ville sainte d'Hébron.

Puis le Grand prêtre exige que les notables de Juda, célibataires ou veufs et dignes de confiance, apportent chacun un rameau d'olivier. « À celui que Yahvé désignera par un signe sera confiée Marie pour qu'il l'épouse et la garde », annonce-t-il. Tous espèrent que le jugement divin tranche en leur faveur. Tous, sauf un.

Trois mille rameaux sont entreposés dans le Saint des Saints*, la chambre la plus secrète du temple de Jérusalem. Là où fut façonné le premier homme, le lieu où une fois par an, à l'heure de l'expiation du peuple, le nom secret de Yahvé est prononcé par le Grand prêtre pour obtenir son pardon. C'est dans cette pièce sombre, minuscule mais plus grande que le temple lui-même, là où plane la présence divine, que s'est noué le destin de Marie.

Joseph, prudent, aurait préféré échapper à ce tirage au sort. Que faire d'une jeune fille dont il pourrait être le grand-père ? Trop vieux, contraint de travailler chaque jour pour faire vivre sa famille riche de quatre fils et de deux filles, il a perdu sa femme quelques années auparavant et ne compte pas choisir une nouvelle épouse. Joseph avait quarante ans lors de ses premières noces et vécut heureux quarante-neuf ans avant que sa femme ne quitte ce monde pour le Shéol. Depuis, il n'a de passion que pour leurs six enfants et ne souhaite ni se remarier, ni être père de nouveau. « À chaque génération son temps », pense-t-il.

Au petit matin apparaît le Grand prêtre Abiathar, vêtu de son habit sacerdotal ; il arbore le fameux pectoral gravé du nom des douze tribus d'Israël et douze clochettes, qui tintent à chacun de ses gestes. Dans le vestibule, devant l'autel d'or des parfums, à côté de la table des pains de proposition et du chandelier à sept branches, dernier des dix candélabres de l'ancien temple de Salomon*, il accomplit le rite sacrificiel quotidien, puis pousse le rideau et entre dans le Saint des Saints. Les hommes de Juda guettent son retour en silence. Le Grand prêtre sort les rameaux. Pas un mot, pas un bruissement. Les nuages ont suspendu leur course dans le ciel. Dans le temple, l'air s'est figé. Même les sept flammes du chandelier sacré retiennent leur tremblement. Le pontife tend une par une les baguettes à leurs propriétaires. Chacun tient son rameau à la main, attendant une manifestation du Ciel. Mais rien ! Aucun signe ne vient désigner celui auquel Marie sera confiée.

À la fin de la journée ne reste dans le Saint des Saints qu'un petit rameau, le plus petit, sans doute passé inaperçu. C'est celui de Joseph. Tentant de se faire oublier, le vieux charpentier avait choisi la branche la plus menue dans l'espoir qu'elle échappe à la vigilance du Grand prêtre. Mais à l'évidence, Yahvé voit tout.

– Viens et reçois ton rameau ! ordonne Abiathar.

À contrecœur, Joseph saisit la fine branche d'olivier et aussitôt une colombe blanche comme neige traverse la cour d'Israël, vole sous les voûtes du temple, plane un instant devant le Saint des Saints et vient se poser sur son rameau.

– Tu es béni dans ton grand âge ! De tous parmi ta tribu, Yahvé t'a élu, proclame le Grand prêtre.

– Je suis âgé, j'ai déjà suffisamment d'enfants, je ne tiens pas à me marier, argumente Joseph.

– Marie t'est confiée. C'est une décision divine. Oserais-tu t'y soustraire ? tonne Abiathar.

Joseph n'envisage pas de se révolter ouvertement contre la volonté divine, mais tente tout de même d'y échapper en proposant une solution plus rationnelle à ses yeux.

– Cette vierge pourrait être confiée à mon benjamin, Jacques, et l'épouser le moment venu ?

– Marie ne peut être promise à un autre que toi ! tranche le Grand prêtre.

C'est ainsi que Marie entra dans la maison de Joseph en attendant d'atteindre l'âge requis pour leur mariage.

Cinq autres vierges furent en même temps confiées à la maison de Joseph : Rebecca, Séphora, Suzanne, Abigea et Zahel. Le labeur de chacune fut tiré au sort. À Marie revint la responsabilité de tisser le fil pourpre du voile destiné à séparer le Saint des Saints du vestibule du temple, l'hymen sacré préservant le pur de l'impur. Un privilège qui lui vaut des réflexions teintées à la fois d'envie et d'affection de la part des cinq jeunes filles, auxquelles sont échus d'autres fils de soie, de coton, de lin et de hyacinthe. « Te voici la reine des vierges », lui lancent-elles. Un titre moqueur qui ne prendra tout son sens qu'après le retour de Joseph d'une nouvelle et trop longue absence.

La grossesse improbable de Marie

« Si je cache son péché, je serai trouvé coupable…
Si je l'accuse… Je la condamne à mort… »

(*Protévangile de Jacques*, 14)

Tout aurait pu se passer paisiblement jusqu'au moment de leurs noces. Mais au cours de la troisième année, Joseph, au retour d'un séjour de neuf mois à Capharnaüm*, découvre avec frayeur la grossesse de Marie. La vierge n'est pourtant pas encore son épouse ! Comment pourrait-elle porter un enfant ? La rumeur se répand rapidement jusqu'au Sanhédrin. Enceinte de six mois, la jeune fille se cache dans la maison de Joseph, essayant sans succès de dissimuler aux enfants d'Israël son ventre grossissant. Les prêtres ne tardent pas à accuser Joseph d'avoir trahi les obligations de son élection et devancé les noces d'une vierge nourrie au temple de Yahvé. Marie n'a pas quinze ans ! Honte sur lui d'avoir profané une vierge avant le mariage ! Honte sur lui, si la vierge qui lui a été confiée par le tirage au sort sacré tombe enceinte ! Des accusations qui lui inspirent une terrible envie de s'enfuir et de se cacher.

Mais Joseph ne cède pas à la peur et ne se sauve pas. Après tout, il n'est pour rien dans cette affaire et compte bien faire face aux accusations et aux quolibets. Mais il a beau en faire le serment et répéter ne jamais avoir touché Marie, personne ne le croit.

– J'étais absent de ma maison depuis presque une année ! se défend-il. Je travaillais à Capharnaüm !

De son côté, Marie nie avoir été touchée par un homme, ni par Joseph ni par un autre ! Gabriel, l'ange de Dieu, celui-là même qui apporta le feu aux hommes, lui avait annoncé la naissance d'un fils. Trois jours après cette révélation, un jeune homme à la beauté resplendissante, apparu près de la fontaine, l'avait avertie : « Tu concevras et tu enfanteras un roi dont l'empire couvrira non seulement la Terre mais aussi le Ciel ! »

Marie en tremble encore. Pourtant, malgré son effroi, elle se sent rassurée. Sa grossesse imprévisible annoncée devant une fontaine ne peut être qu'une bonne nouvelle.

L'eau vive ne réveille-t-elle pas ceux qui dorment au fond des tombeaux ? Puisée d'une source ou tombée du ciel, l'eau magnifie la présence divine. Alors Marie est convaincue que la lumière venue du ciel l'a pénétrée et vit désormais en elle.

L'épreuve des eaux amères

« Si tu ne lui avais pas fait violence,
elle serait demeurée vierge jusqu'à présent ! »

(*Évangile du Pseudo-Matthieu*, 12)

– Pourquoi vous moquer de moi ? se plaint Joseph auprès des cinq jeunes filles venues plaider la cause de Marie.

Le vieux charpentier en a perdu le sommeil. Qui croira qu'un ange envoyé par Yahvé a rendu Marie enceinte ?

– Pas moi ! Je ne me laisserai pas tromper par ces explications à dormir debout, prévient-il, envisageant de répudier Marie et de quitter Jérusalem pour toujours.

Malgré la prophétie d'Isaïe* annonçant la venue d'une vierge issue de la maison de David, et affirmant que de cette racine s'élèverait une fleur sur laquelle reposerait l'Esprit-Saint, Joseph demeure circonspect. Avec l'arrivée d'un roi-messie, le même oracle promet l'avènement du royaume idéal où régnera la justice. Les faibles et les pauvres y seront protégés et la paix s'imposera sur le monde. Joseph veut bien croire à cette prophétie, mais n'est pas prêt à accepter l'idée que la vie puisse naître d'une femme sans la participation d'un homme !

Certes, les épouses stériles qui accouchent tardivement d'un fils promis à un destin extraordinaire ne sont pas rares dans les textes saints. Le prophète Samuel lui-même naquit d'une mère stérile, comme le héros Samson, ou Isaac, fils d'Abraham né de Sara, ou encore le patriarche Jacob né de Rebecca.

Anne, la propre mère de Marie, était stérile avant de l'enfanter. Son époux Joachim n'avait pas donné naissance aux deux enfants indispensables à un homme pour être accompli. Malgré sa richesse en or et en troupeaux, il se trouvait tenu à l'écart du Temple. « Maudit soit celui qui n'a point engendré en Israël ! », lui reprochait-on. Déjà mort de son vivant, l'homme qui n'a pas d'enfant fait de sa femme stérile une veuve avant l'heure. Une double malédiction qui hantait Joachim. Un seul enfant l'aurait contenté désormais. Même une fille s'il le fallait. Pour son malheur, les prêtres avaient conclu que son incapacité à engendrer une descendance résultait d'une condamnation divine à une mort définitive. « Dieu a clos le ventre d'Anne ! Elle n'aura jamais d'enfant ! » avaient-ils annoncé, redoublant leur chagrin.

Joachim s'était retrouvé exilé au milieu de son propre peuple, jugé indigne par Yahvé d'avoir des enfants ; même les sacrificateurs refusaient ses offrandes au Temple. La stérilité de son couple le rendait impur. Une malédiction dont Joachim ne parvint à se libérer qu'en se retirant dans le désert. Il y dressa sa tente au milieu des bergers et y jeûna quarante jours et quarante nuits. À son retour, Anne était enfin enceinte, une bénédiction annoncée sous un laurier alors qu'elle contemplait avec chagrin et une pointe de jalousie le nid plein de vie d'un moineau.

L'enfant né d'une mère stérile est naturellement consacré à Yahvé et Marie n'échappa pas à cette obligation. Elle resta dans la maison de Joachim jusqu'à ce qu'elle soit sevrée. À trois ans, elle fut confiée au Temple, engagée au service de la Loi et du culte de Yahvé. Sans hésiter, la fillette avait monté les quinze marches qui menaient à l'autel des holocaustes. Accoutumée à la présence des anges, ni effrayée, ni gênée par la lumière céleste qui envahissait le sanctuaire, elle avait atteint l'autel sans même se retourner vers ses parents. « Tu concevras sans péché, tu enfanteras un fils », lui avait promis la voix familière de l'ange Gabriel alors qu'elle entrait dans le temple.

C'est une femme née elle-même d'une grossesse prodigieuse que Joseph a été contraint par le sort d'épouser.

*
* *

Le vieux charpentier est prêt à accepter la grossesse d'une femme stérile, mais difficilement celle d'une femme vierge. L'union de deux chairs, l'une féminine, l'autre masculine, pour ne plus faire qu'un seul corps participe au fondement du monde. Reflet sur terre de l'Alliance* dans le Ciel, l'acte sexuel accompli au moment idéal et de la bonne façon représente l'acte saint par excellence. Cette union permet la refondation perpétuelle de l'univers créé par Yahvé, enseignent les sages. Les deux parties d'une même âme séparées avant leur naissance se trouvent ainsi réunies. L'union charnelle entre deux êtres masculin et féminin prédestinés depuis la création de l'humanité est un acte de foi. Jérusalem n'est-elle pas la fiancée de Yahvé ?

Si la grossesse d'une femme stérile prouve l'intervention divine dans la conception d'un enfant, la virginité démontre l'absence de sexualité. Comment la vie pourrait-elle naître de la chasteté et de l'abstinence ? se demande Joseph. Ce serait considérer que la mort ne prendra fin que lorsque les femmes cesseront d'accoucher ! Une perspective qui ne plaît pas du tout au vieux charpentier.

Pour certains, la grossesse d'une vierge répond à l'angoisse de disparition de la nation d'Israël : somme toute, si au fil des siècles des envahisseurs ont persécuté la Terre promise et asservi son peuple, ce ne peut être qu'en raison du péché originel commis par Ève et Adam, le premier couple de la Création. La mortalité, qui fut le châtiment de leur transgression, frappe désormais Israël tout entier. Les premiers qui mangèrent du fruit interdit de l'arbre de la connaissance du Bien et du Mal, et qui découvrirent la nudité de leurs corps furent condamnés à la disparition. De leurs trois fils, l'innocent Abel fut le premier homme à connaître la mort. Comment échapper à cette malédiction et garantir la perpétuation d'Israël, si ce n'est en évitant la répétition de la faute charnelle commise par Ève et Adam ? Voilà en tout cas ce que croient les annonciateurs de la venue imminente du Messie.

Le péché originel ne passe pas par le ventre d'une mère vierge, puisqu'elle est enceinte sans union charnelle. Si Marie est vraiment sans souillure, son enfant à venir échappera à la mort promise à tous ceux qui naissent depuis la faute d'Ève. Une maternité virginale garantirait à l'enfant la vie éternelle.

Les uns fondent tous leurs espoirs dans la grossesse d'une femme stérile, puisque dans ce cas Yahvé en personne veille à la survie de son peuple dans un monde en paix. D'autres espèrent la grossesse d'une femme vierge, y voyant l'annonce du pardon définitif de toutes les fautes commises par le peuple de Yahvé, donc la promesse du retour au jardin d'Éden et à la vie éternelle. Deux espoirs qui s'affrontent et dont le vainqueur aura pour mission de sauver le perdant.

Reclus hors du mont du Temple, Joseph reprend ses esprits. S'il est reconnu coupable d'avoir forcé Marie avant leur mariage, il encourt le bannissement. « Mieux vaudrait mourir que vivre dans ces conditions ! » pense-t-il, tremblant de tous ses membres à l'idée d'être contraint à une errance perpétuelle. Pire encore, si Marie est reconnue coupable d'avoir connu un homme alors qu'elle lui était promise, elle risque d'être châtiée par une foule impitoyable.

Nul n'est exempt de péché, se dit Joseph. Aucune de ces perspectives ne lui paraît juste. Ses nuits sont agitées. Tourmenté par ses doutes, il s'épuise. Puis, sans qu'il s'en rende compte, le sommeil a raison de son dilemme. Une nuit, un ange venu en rêve lui confirme : « L'enfant que porte Marie dans son sein est bien l'œuvre divine. » Puis le visiteur céleste ajoute : « Marie enfantera d'un fils, qui sauvera son peuple et rachètera ses péchés. » Ce songe ébranle Joseph, mais ce n'est pas un songe qui contentera les juges du Sanhédrin.

La parole de Marie ne suffisant pas à l'innocenter, les cinq jeunes filles qui avaient été confiées à Joseph en même temps qu'elle viennent à son secours.

– Nous sommes témoins qu'aucun homme n'a touché Marie ! déclarent-elles. Jamais personne n'a rendu Marie enceinte. Seul l'ange de Yahvé a pu le faire, s'accordent-elles à répéter.

Joseph, rationnel, ne se laisse pas convaincre pour autant. Il les connaît si bien et comprend l'amour qu'elles portent à Marie, leur attitude ne le surprend pas. Elles sont emplies de bonté et de compassion. Mais quoi qu'elles disent, elles ne seront pas écoutées. Le témoignage d'une femme n'est pas recevable devant la haute cour de justice.

– Il est possible qu'un inconnu se soit fait passer pour un ange de Yahvé, et ait séduit Marie ! répond-il, dévasté.

Il ne reste qu'une solution pour connaître la vérité : l'épreuve des eaux amères. Une fois l'eau bue, la femme adultère et son amant parjure sont généralement pris de terribles douleurs prouvant leur culpabilité. Parfois, les eaux amères provoquent des lèpres soudaines sur le visage, trahissant les propos mensongers. Un sort à peine plus enviable que celui réservé par Rome aux épouses infidèles, cousues dans un sac avec leur amant et jetées dans le Tibre, ou encore aux Vestales emmurées vivantes pour n'avoir pas respecté leur vœu de chasteté. Sans oublier la coutume babylonienne de livrer aux flots tumultueux de l'Euphrate les femmes soupçonnées d'adultère. Celles qui flottent – considérées comme parjures puisque secourues par des démons – sont aussitôt noyées. Seules celles qui coulent sont jugées innocentes et sont repêchées par leurs maris.

Depuis l'intervention, cinq siècles auparavant, du prophète Daniel en faveur de Suzanne, une pieuse épouse accusée injustement d'adultère, la lapidation et la strangulation ne font plus partie des sentences appliquées par le Sanhédrin. Aujourd'hui, la peine capitale ne peut être prononcée que par les Romains. Reste au Sanhédrin le pouvoir de bannissement, qui fait d'une femme adultère une morte en sursis et de son amant un être déchu. C'est la sentence que Joseph redoute le plus.

Tour à tour, Joseph et Marie sont contraints de se soumettre au verdict des eaux amères. Le Grand prêtre offre d'abord l'eau de l'épreuve à Joseph. Ce dernier la boit sans hésiter, puis, comme le veut la procédure, tourne sept fois autour de l'autel. L'assemblée scrute la moindre réaction du charpentier. Aucune trace de péché n'apparaît sur son visage, aucun malaise ne saisit son corps. Satisfait, le Grand prêtre déclare Joseph non coupable.

C'est à Marie de passer l'épreuve de vérité. Les prêtres, des voisins et même des parents la pressent de confesser sa faute.

– Puisque Joseph n'a commis aucune faute envers toi, avoue qui est l'homme qui t'a séduite ! insiste le Grand prêtre inquiet de voir la colère de Yahvé la dénoncer en flétrissant son visage.

La rondeur de son corps, ses seins gonflés de lait, les preuves de sa culpabilité n'échappent à personne. Pourquoi chercher ailleurs que dans son ventre épanoui un autre signe de sa faute ? se disent les témoins.

– S'il y a en moi quelque souillure, si j'ai commis un quelconque acte impur, alors que l'épreuve des eaux amères révèle ma faute à tous, et que par mon châtiment je serve d'exemple à celles qui mentent ! déclare Marie sans ciller.

Sans attendre qu'on l'y incite, elle boit sans hésitation l'eau de la Vérité. Puis elle accomplit sept fois le tour de l'autel du Temple. Devant l'assemblée stupéfaite, aucun signe de mensonge ne se manifeste sur son visage. Aucune tache sur sa face. Certains crient à la sainteté, d'autres continuent de l'accuser.

– Je fais ici le serment de n'avoir jamais connu d'homme ! insiste-t-elle pour dissiper les derniers doutes de la population.

Ceux qui nourrissaient les pires soupçons envers Marie agitent les rameaux d'oliviers qu'ils ont encore en mains, s'approchent d'elle, l'embrassent et demandent son pardon pour leurs accusations injustes. Mais le peuple s'agite. Des paroles confuses s'affrontent. Entre mauvaise conscience et sainteté, le doute fait son nid. Entre virginité et stérilité, le ventre des femmes se trouve de nouveau au cœur de tous les espoirs.

La caverne de Bethléem

« Et une grande étoile brilla sur la caverne. »

(*Évangile du Pseudo-Matthieu*, 13)

Joseph et Marie quittent donc Jérusalem pour obéir au recensement ordonné par Auguste. Bethléem fait désormais office de chef-lieu administratif. Une population nombreuse venue accomplir les formalités romaines a investi toutes les chambres disponibles tandis qu'une foule de sans-abri envahit les champs. Des tentes sont dressées. Les bergers couchent parmi leurs bêtes. Ceux qui n'ont pas de famille dans la Maison du pain dorment avec le ciel pour manteau. À l'époque, David lui-même ne séjourna-t-il pas dans une grotte à la porte de la ville, lors de sa guerre contre l'envahisseur philistin ?

Sur le chemin qui mène à Bethléem, Marie fond en larmes. Le moment de la délivrance approche. Joseph ne sait que faire. Le lieu est désert. Il n'a pas encore trouvé d'abri où passer la nuit. Marie donne tous les signes que son enfant s'apprête à venir au monde. Elle ne ressent aucune douleur, mais une impatience enivrante.

– Ne te fatigue pas. Reste sur ta monture et évite de parler inutilement, lui conseille Joseph tout en scrutant les abords de la route à la recherche d'une grange de fortune, ou d'une caverne où Marie puisse s'installer en toute sécurité.

– Je pleure, car je vois deux peuples devant moi, le peuple juif en larmes et l'autre, les idolâtres, en joie, confie Marie. La nation d'Israël abandonnée par son dieu alors que l'Alliance d'Abraham est accordée à toutes les nations.

– Ne prononce pas de paroles superflues ! réplique Joseph. Conserve tes forces pour ton accouchement.

Au coucher du soleil, Joseph aperçoit une caverne. Un abri obscur, mais le seul possible à ce moment. Poursuivre leur voyage dans ces conditions serait risqué. Alors Joseph demande à Marie de descendre de son ânesse et de s'abriter dans la grotte.

D'autres nouveau-nés ont déjà reçu une caverne comme berceau : Jupiter, Hercule, Romulus et Remus. Même le conquérant Alexandre le Grand trouva dans les entrailles de la Terre les ressources nécessaires à une naissance et une promesse d'immortalité.

Au moment où Marie pénètre dans la caverne, une grande clarté chasse l'obscurité.

– Un soleil en pleine nuit ! s'étonne Joseph.

Peut-être est-ce simplement la pleine lune, mais il s'agit sans aucun doute d'un signe céleste. Rassuré, Joseph enfourche leur ânesse et se rend dans la cité en quête de sages-femmes pour assister Marie dans son accouchement. Mais il devrait le savoir, les femmes d'Israël sont pleines de vie et accouchent souvent plus rapidement que prévu. Joseph se hâte, mais la foule qui afflue à Bethléem pour le recensement ralentit ses recherches. Il ne revient auprès de Marie que le lendemain, guidé par la lumière éblouissante qui jaillit de la grotte. Accompagné des précieuses sages-femmes, il se précipite au chevet de Marie.

– Zélémi et Salomé arrivèrent trop tard. Quand nous sommes entrés dans la caverne, Jésus était déjà venu au monde ! raconte Joseph les yeux brillant encore de joie.

Prudent, Joseph omet de dire aux Nazaréens que lorsqu'il vit son fils pour la première fois, ce dernier se tenait debout au côté de Marie. Souriant, déjà familier avec le monde d'en bas, l'enfant paraissait avoir deux ans alors qu'il n'était venu au monde que depuis quelques heures.

Les grottes sont les portes d'entrée du monde souterrain, le passage du va-et-vient de la vie et de la mort. Quel meilleur lieu pour une naissance ? Où d'autre que dans une grotte à la clarté solaire le fils d'une vierge pourrait-il venir au monde ?

Zélémi, l'une des deux sages-femmes, hésite d'abord à entrer, impressionnée par la luminosité soudaine de la caverne. Mais il faut bien qu'elle examine Marie. Elle est venue jusque-là pour soulager les souffrances de la jeune mère et prendre soin de son nouveau-né. Et c'est bien ce qu'elle compte faire. Encouragée par un sourire radieux de Marie, la sage-femme s'enhardit et l'examine pour voir si elle a besoin de secours. Elle en reste ébahie : jamais elle n'a observé un tel prodige. Marie semble avoir accouché sans douleur et aucun sang n'a coulé de son corps. Ses seins sont gorgés de lait alors que son puits de vie reste vierge.

– Cette femme n'est pas semblable aux filles d'Ève, constate Zélémi stupéfaite.

N'en croyant pas ses yeux, elle se tourne vers Salomé demeurée prudemment en retrait, au seuil de la caverne.

– Cet enfant est né sans souillure !

Par la faute d'Ève, les femmes sont condamnées à accoucher dans la douleur. Cela lui a été enseigné et répété. Les mères seraient coupables d'apporter à leurs nouveau-nés la mortalité promise aux bannis du jardin d'Éden, lui a-t-on dit. Mais aujourd'hui, Zélémi découvre une situation extraordinaire : cette femme-là a accouché sans peine et sans épanchement de sang, comme si elle se trouvait encore dans le jardin de la Création, à l'instant où aucune faute n'était encore venue souiller l'humanité naissante. Telle Yokabed, la mère de Moïse, Marie a accouché sans souffrance.

Incrédule, la sage-femme Salomé s'approche, la curiosité en guise de courage.

– Laisse-moi examiner cette mère ! Ce que tu dis est impossible. Je ne le croirai qu'après avoir constaté moi-même sa virginité !

Sans une question à Marie ni un regard pour son enfant, Salomé glisse sans précaution sa main droite entre les cuisses de la jeune mère. Elle éprouve aussitôt une terrible douleur. Elle crie et retire précipitamment sa main, comme si elle l'avait enfoncée dans un four incandescent.

– Ma main est desséchée ! Ma main a été brûlée ! s'exclame-t-elle au bord des larmes.

Marie, désolée d'être la cause de sa douleur, lui demande de s'approcher.

– Je ne mérite pas un tel châtiment ! J'ai toujours soigné les plus pauvres sans jamais exiger de rétribution. J'ai soigné veuves et orphelins sans rien réclamer en retour. Et voilà que je suis punie pour avoir pris soin d'une malheureuse qui accouche dans une grotte ! se lamente la sage-femme.

Marie insiste.

– Donne-moi ta main. Laisse-moi voir tes plaies, dit-elle en tendant les bras vers la sage-femme.

Épouvantée, Salomé hésite. Zélémi l'encourage. Cette jeune femme ne lui ferait pas de mal, elle en est certaine. Salomé approche et tend le bras. Avec douceur, Marie saisit sa main desséchée, la caresse, puis l'effleure d'un pan du linge qui enveloppe Jésus.

Aussitôt, la main brûlée de la sage-femme guérit. La douleur disparaît. Les chairs se reforment. En quelques secondes la main de Salomé retrouve son apparence. Dans le ciel de Bethléem, une étoile plus brillante que les autres illumine le ciel.

Impatientes de répandre la bonne nouvelle, les sages-femmes quittent la caverne précipitamment. À qui veut les écouter, elles racontent avec passion ce qu'elles ont vu. « Un enfant est né d'une mère vierge ! » annonce Zélémi. « J'ai été guérie en touchant ses langes ! » renchérit Salomé. Dehors, bergers et voyageurs écoutent avec attention. La grande étoile resplendissant dans le ciel jour et nuit vient confirmer le récit des sages-femmes. Rapidement, certains s'abandonnent à l'idée que la libération d'Israël a commencé en ce jour béni. D'autres pensent déjà que non seulement Israël, mais toutes les nations seront bientôt sauvées.

*
* *

Deux jours plus tard, Joseph, Marie et Jésus quittent la caverne pour une étable plus proche de la cité et surtout plus confortable. L'obligation de recensement a attiré tant de visiteurs à Bethléem qu'on n'y trouve plus aucune chambre disponible. Bergers et marchands qui, comme eux, n'ont pas trouvé de gîte dans la ville, s'installent à proximité de l'étable et allument des feux de campement. Alors c'est bien entre un bœuf et un âne que la prédiction du prophète Isaïe s'accomplit. « Le bœuf connaîtra son maître et l'âne la crèche de son Seigneur », avait-il proclamé. Le sauveur espéré par Israël doit être reconnu, au-delà des hommes, par toutes les créatures de Dieu.

Six jours après la naissance de Jésus, la petite famille s'installe enfin dans l'enceinte de la cité. Le huitième jour, comme le veut la loi d'Israël, Joseph fait entrer son septième enfant dans l'Alliance d'Abraham, d'Isaac et de Jacob en accomplissant le rite habituel de la circoncision. Le premier sang versé scelle ainsi le pacte passé entre Yahvé et son peuple. Couper le prépuce marque le début de l'accomplissement humain, une étape pour se libérer de la chair et repousser les limites du monde. Se défaire du corps pour délivrer son âme et libérer son étoile. Jadis la circoncision de Moïse rendit possible l'Exode d'Égypte. Celle de Jésus annonce l'Exode de la terre d'en bas, un nouveau départ, une libération et une renaissance pour tous.

Une vieille femme qui assistait Joseph dans la perpétuation du commandement divin recueille le prépuce de Jésus et le place dans un vase d'albâtre rempli d'huile de vieux nard. Puis elle confie le précieux vase à son fils.

– Garde-toi bien de vendre ce vase, même si l'on t'en offrait trois cents deniers ! l'avertit-elle.

Pour célébrer la circoncision de son fils, Joseph se rend au temple de Jérusalem sacrifier deux tourterelles et deux colombes, comme le veut la tradition, puis il retourne à Bethléem. Là, il vit en paix avec sa famille durant deux années. Jusqu'à ce jour où des marchands venus des rives de la mer Rouge dressent leur campement à proximité.

La prédiction des mages

« Il s'éleva un grand tumulte à Bethléem
parce que les mages arrivaient en demandant :
où est celui qui est né roi des Juifs ? »

(*Protévangile de Jacques,* 21)

Tout commença avec l'arrivée de mages venus du nord de l'Arabie, deux années après la naissance de Jésus. Ils étaient douze mages comme les douze tribus d'Israël, des marchands de baumes, de myrrhe, d'encens et d'or venus d'Orient, qui avaient suivi les routes commerciales du pays de Madian jusqu'à Jérusalem.

Guidés par l'étoile scintillante apparue dans le ciel d'Orient, les mages ont décidé de faire étape à Bethléem. L'oracle du prophète Balaam* l'avait promis : « un astre sortira de Jacob, un sceptre puissant et irrésistible s'élèvera sur Israël, un roi oint par Yahvé régnera sur son peuple ». L'astre qui illumine le ciel n'est pas une étoile filante, mais une lumière venue éclairer l'humanité. Les mages chargés d'offrandes interrogent avec insistance les habitants de Bethléem. Exaltés, ils répandent à travers le pays la nouvelle de la naissance d'un nouveau roi en Juda, issu de la Maison de David.

Le rare alignement de trois planètes, Vénus, Jupiter et Saturne, a annoncé l'accomplissement de la prédiction du prophète Isaïe, les mages en sont certains. Adorateurs des pierres sacrées qui marquent le tracé des routes commerciales, adorateurs des étoiles qui permettent aux caravaniers de s'orienter la nuit, les mages, devins, astrologues ou simplement riches marchands entendent bien offrir d'importants présents au futur roi d'Israël. Des offrandes qui ne peuvent qu'attiser la colère d'Hérode. De l'or en gage d'une monarchie immortelle, de l'encens en hommage au culte qui lui sera rendu et de la myrrhe pour donner à la mort le parfum de la vie. Après le Déluge, les trois fils de Noé, Sem, Japhet et Cham, avaient donné naissance aux peuples des trois parties connues du monde. En déposant aux pieds de Jésus ces trois offrandes, les mages accomplissent le rite d'allégeance indispensable à la refondation de l'humanité.

La nouvelle annoncée par les mages effraie davantage le peuple qu'elle ne le rassure. Tous craignent de subir la fureur d'Hérode, qui se sent trahi par ces étrangers venus dans son royaume décider de son successeur. Le grand roi fait d'abord chercher les mages. Inquiet de leurs prédictions, il veut les obliger à s'expliquer avant de les exécuter. Hérode convoque ensuite les docteurs de la loi juive, interroge les prêtres, les scribes et les pharisiens.

– Où cet enfant est-il né ? exige-t-il de savoir, décidé à le pourchasser jusqu'aux confins de son royaume.

– Le libérateur promis par les prophètes, ce roi annoncé par les mages, ne peut naître qu'à Bethléem en terre de Juda, dans le même village qui vit naître le roi David, expliquent les docteurs de la Loi. L'oracle du prophète Michée est limpide. Du clan de Juda, de Bethléem, sera issu le sauveur qui guidera Israël.

Une déclaration qui embrase le cœur d'Hérode et lui inspire aussitôt le meurtre de cet enfant.

– Je n'ai pas le choix ! s'exclame-t-il.

Ses espions lui rapportent que les mages ont bien rencontré l'enfant. Ils l'ont comblé de présents comme s'il était de sang royal. Le terrible Hérode ne parvient pas à calmer sa colère. La rumeur prétend que la jeune mère leur aurait offert en retour un simple linge ayant couvert l'enfant, un bout de tissu que les mages auraient exhibé devant leurs compagnons de route tel un présent à la valeur inestimable. Puis ils auraient accompli un de leurs rites habituels d'adoration et plongé le linge dans les flammes de leur autel sacrificiel.

– Le feu éteint, les mages retirèrent le linge intact ! rapporte un espion, le regard encore ébloui par ce prodige.

– Le feu n'aurait ni consumé, ni même abîmé ce linge ! précise un autre.

Puis les mages l'auraient entreposé à l'abri avec leurs plus précieux trésors, lui réservant les précautions entourant un objet sacré.

Hérode ressent l'envie folle d'égorger ces porteurs de mauvaises nouvelles. Mais il le sait bien, la meilleure façon de déjouer une prédiction néfaste, c'est d'en faire disparaître les responsables. Les mages d'abord, l'enfant ensuite ! Tous doivent périr !

Le massacre de l'innocence

« Comme Hérode ne parvint pas à trouver les mages, il envoya ses assassins à Bethléem y tuer tous les enfants de deux ans et au-dessous. »

(*Évangile du Pseudo-Matthieu*, 17)

La réputation de cruauté d'Hérode glace encore les sangs. Des années après sa mort dans de terribles souffrances, son seul nom suffit à faire trembler les cœurs. Personne n'a oublié la sauvagerie avec laquelle il exécuta de jeunes zélotes* et livra leurs corps aux flammes, allumant un brasier qui ne s'éteindrait plus. Une fois les martyrs réduits en cendres, leur héroïsme se révéla contagieux. Les adolescents avaient osé décrocher du pinacle du temple de Jérusalem l'aigle d'or placé par Hérode en hommage à Auguste. L'effigie de l'oiseau de malheur des Romains surplombant le lieu le plus saint du monde ! Quel blasphème ! Sur le mont du Temple, au-dessus de l'aire acquise par le roi David en personne pour y édifier une maison à Yahvé, Hérode l'Iduméen avait osé bâtir un temple aux dimensions jupitériennes ! L'ère de la disparition aurait donc commencé ? Une perspective que les enfants d'Israël ne sont pas près d'accepter.

Les Romains ne reconnaissent pas les peuples, mais les souverains qu'ils leur imposent. En offrant la couronne de Judée, de Galilée et de Samarie* à un Arabe du nord, moitié Iduméen, moitié Nabatéen, donc pas du tout Juif, Auguste a appliqué la perpétuelle stratégie des empires : mieux diviser pour mieux régner.

Hérode remplit son rôle à la perfection. Pire qu'un usurpateur, il ne se contente pas d'éliminer ses ennemis, il s'élève au rang d'ogre n'hésitant pas à dévorer ses propres enfants. Se sentant menacé par la popularité de ses fils nés de la princesse hasmonéenne Mariamne, il n'avait pas hésité à les faire exécuter. Tueur d'enfants une fois, tueur d'enfants toujours. Vieillissant, furieux de voir Israël lui survivre, il veut couper court à tout espoir de rétablissement de la dynastie de David sur le trône de Jérusalem. Il ne tolérera pas d'être réduit à une parenthèse dans l'histoire de ce peuple confié par Rome en servitude.

Pour les punir d'avoir annoncé la naissance d'un nouveau roi dans son propre royaume, Hérode envoie des soldats assassiner les mages. Mais les marchands sont avertis de ses intentions et lèvent précipitamment le camp. Habitués des pistes qu'ils connaissent mieux que quiconque, les mages lui échappent sans peine.

Furieux d'avoir été berné, Hérode décide de mettre un terme à toute velléité d'indépendance de la Judée et donne l'ordre à ses soldats de tuer tous les garçons de moins de deux ans nés à Bethléem. « Ne cédez ni aux lamentations, ni à la corruption ! commande-t-il. Égorgez-les tous sans hésiter ! »

– Que peut-on attendre d'un être qui assassine des enfants ? demande Joseph aux Nazaréens qui ne perdent pas un mot de son récit.

L'opération est organisée en secret. Les habitants de Bethléem ne se doutant de rien, la rafle va s'abattre sur la bourgade comme un orage de grêle en été. Mais dans un songe, un ange avertit Joseph du massacre qui se prépare. Pourquoi ne prévient-il pas tous les Bethléemites, se demande le charpentier ? Pourquoi ne pas sauver tous les innocents ? Ne méritent-ils pas tous de survivre à la haine d'Hérode ? Mais protéger la vie de Jésus, c'est finalement offrir la vie éternelle à tous. L'ange conseille à Joseph de mettre Jésus à l'abri et de laisser le sort des innocents au dieu d'Israël.

Terrifiée, portant Jésus dans ses bras, Marie cherche un lieu sûr. Comment tromper la vigilance des soldats ? Marie trouve enfin refuge dans une étable. Elle couche Jésus dans la paille entre les pattes des bovins. Les bœufs évitent de meugler pour ne pas attirer l'attention des soldats, et se rapprochent l'un de l'autre pour mieux dissimuler leur protégé.

Élisabeth, la parente de Marie qui a accouché six mois avant elle d'un petit Jean, enveloppe son fils dans des langes et s'enfuit à son tour. À bout de souffle, elle parcourt la montagne à la recherche d'une caverne où se cacher. Les rochers frémissent comme pour lui indiquer le chemin à suivre. La terre fait de la place pour les fuyards. Au détour d'un bois, un soleil resplendissant fait apparaître des grottes accueillantes. Élisabeth s'y précipite, Jean amusé par sa course chaotique riant à chaque bond. Une famille d'arbres fruitiers s'écarte sous un vent joyeux pour leur offrir l'hospitalité. Enfin en sécurité ! En contrebas, les murs blancs reçoivent des gifles sanglantes. Les cris et les supplications montent jusqu'à la caverne. Élisabeth sent ses genoux la trahir. Elle s'écroule contre la paroi. Chaque hurlement coule sur son visage : ses larmes, une par enfant martyrisé, la noient. Le souffle court, elle étouffe et plaque ses mains sur les oreilles de Jean pour le sauver de la peur. Puis, soudain, c'est le silence. Il faut bien que les assassins se reposent.

L'assassinat de Zacharie, père de Jean

« Parle avec franchise, où as-tu caché ton fils ? »

(*Protévangile de Jacques*, 23)

Zacharie, le père de Jean, ne s'est pas enfui avec eux. Pour ne pas éveiller les soupçons des soldats d'Hérode, il est demeuré au Temple pour y poursuivre les obligations du culte de Yahvé.

La colère d'Hérode n'a pas de limites. Ses soldats ont rassemblé sur la place du village les enfants juifs nés depuis deux ans à Bethléem. Ils les comptent, estiment leur âge à leur taille, les arrachent à leurs parents et les égorgent sans hésiter. Trois cent soixante enfants sont ainsi massacrés. Pleurs et supplications n'y font rien. Aucun n'échappe à la sauvagerie des tueurs. Le cœur glacé, ils traquent les petits garçons qui tentent de s'enfuir. Le pas incertain, les enfants courent maladroitement pour échapper à leurs bourreaux. Tremblant de peur, ils trébuchent. Les assassins les rattrapent par les cheveux. D'un moulinet précis, leur immense lame en croissant de lune tranche leurs vies une par une. Une moisson précoce, dont le sang innocent vient fertiliser la Terre promise.

Aux yeux de la garde iduméenne d'Hérode, ces enfants représentent des menaces. Arracher la mauvaise herbe est un acte de salubrité publique. Leur simple existence porterait la responsabilité de tous les malheurs du royaume. En fait, Hérode veut être roi de Judée sans être roi des Juifs. La Judée sans Juifs, voilà le retour au jardin d'Éden ! s'imagine-t-il. Conserver l'héritage mais tuer les héritiers ! Le massacre de l'innocence à Bethléem n'est que la première étape de sa stratégie pour mettre un terme à la perpétuelle insurrection des Juifs. Un acte de paix, en quelque sorte…

Mais le meurtre parfait n'existe pas. Le recensement n'a pas seulement compté les adultes, il a aussi indiqué les naissances dans toute la Judée. Deux enfants semblent avoir échappé au massacre : Jésus ne se trouve pas parmi les victimes, et son cousin Jean, *Yohanân* (« Dieu a fait grâce »), né à Jérusalem mais poursuivi pour leur parenté, se serait aussi enfui. Hérode, malade, réalise-t-il alors que le dessein de Dieu pour Israël le dépasse ? Les terribles souffrances qui vont bientôt l'emporter ont déjà investi son corps, faisant divaguer son esprit. Il suffit qu'un seul enfant en réchappe et tout aura été inutile ! se dit-il. Dans le doute, il lui faut donc éliminer toute la famille de Jésus. Que l'enfant soit né à Bethléem ou à Jérusalem lui importe peu. C'est le sang du roi David qu'il faut assécher. Sans attendre, Hérode donne l'ordre à ses soldats de se rendre au temple de Jérusalem pour y traquer le prêtre Zacharie, père de Jean.

– Où as-tu caché ton fils ? Dis-le-nous ! insistent les officiers d'Hérode.

– Je ne suis qu'un serviteur de Yahvé. Je quitte rarement Son temple. Je ne sais pas où se trouve mon enfant, répond-il.

Les soldats espèrent-ils vraiment qu'un père dénonce son fils unique ? Savent-ils au moins que la naissance de Jean est d'œuvre divine ? Ils menacent, brandissent leurs épées dans l'enceinte du Temple, mais impressionnés par l'attitude sereine du prêtre, n'insistent pas et rapportent ses propos à Hérode.

– C'est lui le prétendu futur roi d'Israël ! s'écrie-t-il. Je le sais !

La rumeur court en effet que Jean serait né d'une mère stérile ; l'annonce de sa naissance aurait été faite à Zacharie par un ange lors de son service au Temple. Jean serait donc un *nazir**, un enfant dont la vie doit être consacrée à Yahvé. Il se nourrira exclusivement d'aliments purs, ne consommera pas de boisson fermentée, ne touchera pas de cadavre et ne passera jamais de lame sur ses cheveux et sa barbe, Zacharie et Élisabeth en ont fait le vœu. Autant d'indices qui incitent Hérode à renvoyer ses officiers questionner le prêtre, avec cette fois l'ordre de l'assassiner.

– Sa réputation l'accuse ! Il faut l'égorger au plus vite ! commande Hérode. N'ayez aucune pitié pour son père, ajoute-t-il, il pourrait en engendrer d'autres comme Jean !

Au temple, les assassins d'Hérode interrogent Zacharie une nouvelle fois. Sans respect pour sa fonction de prêtre ni pour la sacralité du Temple, ils le violentent.

– Je prends Yahvé à témoin, je ne sais pas où se trouve mon fils, répète Zacharie.

L'ordre d'Hérode est sans appel, les soldats saisissent le prêtre et l'égorgent dans le vestibule du Temple. Pire, ils s'acharnent et fendent son corps de bas en haut. Son sang se répand jusqu'à la balustrade de l'autel. Ses entrailles jaillissent sur les vignes des mosaïques. Le fer a fait irruption dans le Temple et introduit la mort dans le lieu le plus saint du monde. Les autres prêtres, épouvantés par la violence d'Hérode, annoncent au peuple l'assassinat de Zacharie. Jérusalem le pleure trois jours et trois nuits, avec pour seul réconfort le souvenir que son fils Jean et leur cousin Jésus ont échappé à tant de cruauté.

*

* *

Les Nazaréens suivent le récit de Joseph sans l'interrompre. Son histoire, c'est leur histoire. Celle de leurs pères et des pères de leurs pères avant eux. Thomas avait demandé au charpentier la raison de son départ de Bethléem. Maintenant ils en comprennent les tragiques circonstances. Certains éprouvent de la compassion pour cette famille ballottée au gré de la folie des hommes. Ils y reconnaissent le destin d'Israël et respirent déjà la poussière des pistes lorsque Joseph rapporte les propos de l'ange de Yahvé.

– C'est en songe que l'ange de Yahvé vint à notre secours, confie Joseph à Thomas.

Il lance un regard chargé de souvenirs à Marie.

– Un ange apparut dans mon sommeil. « Fuis en Égypte ! m'a-t-il dit. Prends ta famille et va-t'en ! » C'est ce que j'ai fait.

Joseph a compris qu'Hérode traquerait sans cesse Jésus. L'Iduméen ne sera satisfait qu'une fois son fils assassiné. Mais en Égypte, ses soldats n'ont aucun pouvoir. Sa famille y sera donc à l'abri pour quelque temps. D'autres avant lui ont pris le chemin de l'Égypte pour échapper à des menaces de mort. Abraham, Isaac, puis Jacob avaient jadis trouvé dans l'exil le meilleur refuge. Mais cette fois, c'est sur les traces de Moïse que Joseph emmène Jésus.

En décrétant le massacre des enfants de Bethléem, Hérode obtient le contraire de ce qu'il escomptait. Devenu le jouet du grand dessein divin, le roi ne fait que confirmer l'avènement du libérateur annoncé par les prophètes d'Israël. Le destin de Moïse ne commença-t-il pas avec la décision de Pharaon de massacrer les nouveau-nés des Hébreux ?

Au premier chant du coq, Joseph se lève, réunit quelques effets, ceint ses reins d'une étoffe qu'il entoure plusieurs fois autour de la taille, prend sa famille et se met en marche.

3

La fuite en Égypte : retour vers l'avenir

« Prends Marie et l'enfant et,
par la route du désert, rends-toi en Égypte. »
(*Évangile du Pseudo-Matthieu*, 17)

À l'ombre d'un palmier

« Arbre, incline-toi et restaure ma mère de tes fruits. »

(*Évangile du Pseudo-Matthieu*, 20)

Après deux jours de marche, Joseph n'a pas encore choisi le meilleur chemin à suivre. Le voyage risque d'être plus long et plus difficile qu'il ne le pensait. Marie souffre de la chaleur et de la soif, les outres sont vides, et il craint pour la santé de Jésus. Sa famille ne supportera pas trente jours de marche forcée, la peur au ventre d'être rattrapée par des soldats d'Hérode.

La route suivant le rivage de la grande mer sera sans doute la plus rapide mais aussi la plus dangereuse. Il faut d'abord rejoindre Hébron, passer à proximité de Gaza – placée par Auguste sous l'autorité d'Hérode –, puis longer Bersabée à la frontière de l'Idumée et de la Judée et traverser le désert de Chour* au nord de la péninsule du Sinaï, pour enfin pénétrer dans le delta du Nil par les lacs amers qui avaient jadis vu les Hébreux partir pour la Terre promise.

L'itinéraire choisi est même doublement dangereux. Les soldats iduméens ne sont jamais loin et les villages clairsemés rendent les étapes éprouvantes. Joseph s'inquiète aussi de l'accueil des Égyptiens, qui ne nourrissent pas les meilleurs sentiments pour les Judéens. Pourtant, malgré les inimitiés et les persécutions, de nombreux Juifs s'installent dans le delta depuis des générations. Joseph espère y trouver l'hospitalité et la sécurité pour Jésus, mais le chemin lui semble bien long et semé d'embûches.

Sur la route, la soif et la faim tenaillent Marie. Joseph scrute avec anxiété les abords de la piste à la recherche d'un abri, le temps de reprendre des forces et d'attendre le déclin du soleil. Enfin, au détour d'un monticule rocailleux, un palmier isolé offre une ombre inespérée aux voyageurs. Marie s'assoit au pied de l'arbre préféré des enfants d'Israël, selon certains le plus ancien arbre du monde, symbole de la terre de Juda. Jésus dans ses bras, elle s'appuie sur sa tige robuste comme un tronc et, levant les yeux, découvre ses larges feuilles chargées de dattes. L'arbre est trop haut pour qu'on puisse les cueillir. Jésus se dresse sur ses genoux et lance à son tour un regard gourmand vers la cime du palmier en tendant les mains.

– Nous ne pouvons atteindre ces fruits, regrette Joseph. Et nous n'avons plus de quoi nous désaltérer. Songeons plutôt à reprendre la route et à atteindre le plus rapidement possible un village.

Jésus n'est pas enclin à quitter la fraîcheur du palmier. Si l'arbre de la vie offre son ombre protectrice aux voyageurs, il pourrait aussi offrir ses dattes, se dit-il.

– Penche-toi vers nous ! s'écrie le jeune garçon. Incline-toi et nourris-nous !

Le ton autoritaire du petit garçon tire un sourire du visage grave de Joseph.

– Je sais que tous deux avez faim et soif, mais il ne sert à rien que Jésus parle ainsi à cet arbre, se moque-t-il gentiment.

Jamais Joseph ne l'aurait cru s'il ne l'avait vu de ses yeux. Aussitôt le vœu de Jésus exprimé, le palmier penche sa cime vers le sol. Caressant le feuillage incliné jusqu'à ses pieds, Marie cueille ses fruits en remerciant le palmier pour sa compassion. Une fois les besaces remplies de dattes, alors que chacun se restaure, le palmier se redresse lentement. Ses racines frémissent comme pour s'arracher du sol et soulèvent la terre. Une eau limpide et fraîche s'en échappe, des dizaines de petites sources auxquelles Marie et Jésus se désaltèrent, pendant que Joseph remplit ses outres. Après tout, Moïse ne fit-il pas jaillir de l'eau d'un rocher lors de l'exode d'Égypte ? songe Marie, contemplant avec délices ce palmier venu à leur secours.

– Préparons-nous maintenant à reprendre la route ! conseille Joseph, soulagé par ce ravitaillement inattendu.

C'est la première fois que Joseph assiste à un tel prodige. Coïncidence ou enchantement ? Il ne tient pas à le savoir et charge l'ânesse avec empressement. Son seul désir est de mettre la plus grande distance entre sa famille et les assassins d'Hérode.

Au moment de repartir, Jésus se tourne vers le palmier.

– Arbre, tu mérites qu'un de tes rameaux soit emporté au paradis et y soit planté !

Stupéfait, Joseph voit une palme soulevée par le vent s'envoler vers les cieux.

– À tous ceux qui auront lutté et vaincu, cette palme de la victoire sera attribuée, annonce Jésus.

Pour la première fois, Joseph tremble devant les propos de son jeune fils. Et si les songes qu'il avait faits annonçaient vraiment l'avenir ?

*

* *

La journée n'en finit pas. Le souvenir rafraîchissant de leur festin de dattes paraît bien loin. La piste brûlante est une torture. Même l'ânesse avance à reculons. Ne sentant aucun point d'eau vive à proximité, de temps à autre elle se met à braire d'impatience. Pour économiser les forces de leur monture, Marie marche à ses côtés, son enfant serré à l'abri de son manteau. Pas un arbre à l'horizon pour se reposer à l'ombre. Immobile, le paysage rocailleux a de quoi décourager les voyageurs les plus aguerris. Le regard fixé sur le sol, Joseph avance à petits pas.

– Un mois de marche sous cette chaleur nous épuisera, prévient-il. Jusqu'à ce que nous entrions dans le delta, nous devons économiser nos forces.

– Peut-être devrions-nous dresser notre tente le jour et voyager de nuit ? propose Marie.

Joseph préférerait voyager jour et nuit, et s'éloigner le plus possible.

– Les soldats sont organisés. Ils ont des réserves d'eau et suffisamment de montures pour en changer au moindre signe de fatigue. Ils nous rattraperont rapidement si nous ralentissons.

Jésus, somnolant dans les bras de Marie, perçoit l'inquiétude de Joseph. Son père commence à douter qu'ils puissent échapper aux tueurs d'enfants.

– Ne craignez rien, je diminuerai notre trajet. Nous parcourrons les trente jours de notre voyage en une seule journée. Ce soir, nous arriverons à bon port ! promet-il.

Et le soir même, à la grande surprise de Joseph, surgissent déjà au loin le delta du Nil, ses collines, ses plaines et ses temples. L'ancien pays de Goshen* où les Hébreux vivaient jadis en servitude avant de conquérir leur liberté s'étend devant leurs yeux. Douloureux et joyeux à la fois, le pays maudit de l'asservissement de leurs pères est aussi le théâtre de l'Exode qui conduisit les Hébreux à leur renaissance. Mais les temps ont changé. L'Égypte a été réduite à une province romaine. La terre sacrée d'Isis et d'Osiris est devenue le grenier à blé de l'Empire. Une destinée humiliante pour l'ancien monde des pharaons.

Les trois exilés arrivent bientôt aux abords d'Hermopolis, Khéménou, « la cité des huit génies ». C'est là que la croyance égyptienne situe le lieu de la création du monde. Maison du dieu Thot qui fit jaillir l'Égypte de l'océan primordial par le seul pouvoir de sa parole, Hermopolis ne représente pour les Judéens qu'une étape vers Alexandrie. Joseph se dirige vers l'un des nombreux temples de la cité, espérant y trouver l'hospitalité. Il ne se fait pourtant guère d'illusions… La sacralité du lieu éloignera peut-être les pillards, mais elle ne dissuadera pas les soldats d'Hérode de poursuivre leur mission.

La destruction des idoles

« Toutes les statues se renversèrent, et toutes ces idoles gisant à terre révélèrent qu'elles n'étaient rien. »

(*Évangile du Pseudo-Matthieu*, 23)

L'Égypte est une forêt de totems, la terre des dix mille dieux. Hermopolis, où l'ancien dieu égyptien Thot et l'Hermès des Romains ne font plus qu'un, est réputée pour ses temples. C'est dans cette cité qu'est né le culte des huit divinités créatrices de l'univers. À l'évidence, le dieu unique d'Israël ne jouit pas ici d'une grande popularité. Le grand temple de la cité voue en effet un culte à trois cent soixante-cinq idoles, dotées chacune d'un autel particulier. Une divinité par jour à laquelle les honneurs sont rendus par un prêtre.

Dès que Joseph, Marie et Jésus pénètrent dans le temple, le fils du prêtre, un petit garçon de trois ans, semble devenir fou. La natte de l'enfance encore longue sur son crâne rasé, il hurle des insultes et des malédictions, arrache ses vêtements comme s'ils le brûlaient et se met à courir nu, jetant des pierres aux visiteurs rassemblés devant le sanctuaire. L'enfant a la réputation d'être habité par des dieux, parfois par des démons. Possédé, il prophétise régulièrement, terrorisant la population aux alentours. Personne n'a jamais tenté de le maîtriser. Au contraire, tous attendent ses prédictions avec crainte.

Le prêtre se présente devant l'idole du jour.

– D'où vient cette frayeur qui habite mon fils ? demande-t-il à la statue.

La divinité répond par la voix de l'enfant.

– Un dieu inconnu a pénétré dans notre temple. Ce dieu est véritable. Sa puissance est effrayante !

Jésus, nullement impressionné, déambule tranquillement au milieu des idoles. « Des divinités qui ne peuvent se déplacer que portées par leurs fidèles ! De faux dieux ! » se moque-t-il intérieurement.

Soudain, les deux jeunes garçons se font face. L'un, la natte de l'enfance pour seul vêtement, l'autre dont la chevelure n'a pas encore connu le rasoir. Le fils du prêtre vocifère plus qu'il ne parle. L'écume aux lèvres, il semble davantage le prisonnier des démons que leur porte-parole.

« Cet enfant est possédé, il n'est pas responsable de ses mots ! pense Joseph. L'incarnation d'esprits malins n'est pas rare. C'est toujours une torture pour le vivant de supporter cette présence étrangère dans son corps. L'âme est ébréchée, sa détresse est insoutenable. »

Joseph et Marie se sentent désolés pour lui, mais ne peuvent rien faire pour l'aider. Seul Jésus n'est pas de cet avis. Il se tient debout au milieu des trois cent soixante-cinq idoles, moqueur et menaçant.

– Tous les édifices des Égyptiens chancèleront devant la face du dieu de Moïse ! lance-t-il en réponse à la prophétie du jeune garçon.

Joseph connaît la haine latente que les Égyptiens vouent aux Juifs, y compris à Alexandrie où pourtant réside depuis sa fondation une importante population d'Israël. Les propos de Jésus ne peuvent qu'exacerber cette défiance, et Joseph espère qu'ils ne dépasseront pas les murs de ce temple. C'est sans compter sur le caractère rebelle de Jésus. Comme par jeu, il effleure une statue et, aussitôt, toutes les idoles s'effondrent une à une. Dans une terrible clameur, elles se brisent en mille morceaux en touchant le sol.

Les Égyptiens stupéfaits n'osent pas bouger. Joseph prend peur. Dès que la nouvelle de la chute des idoles se répandra, une foule hystérique fera irruption pour châtier les responsables, il le sait. « Ils n'hésiteront pas à nous brûler vifs ! » se dit-il.

Le moment de stupéfaction passé, la colère des Égyptiens gronde. Ils se mettent à invectiver les étrangers. Impertinent, Jésus affiche un sourire moqueur, ce qui a pour effet d'attiser encore leur fureur. Les Égyptiens trépignent, grimacent des injures, mais ne se risquent pas à approcher cet enfant démoniaque.

Marie ne les regarde pas. Elle n'a d'yeux que pour le fils du prêtre. Il tourne sur lui-même de plus en plus vite, comme mû par un esprit maléfique. Sa douleur est insupportable. Marie saisit le linge dont elle enveloppe habituellement Jésus et s'approche du jeune Égyptien dont le regard appelle au secours tandis que ses lèvres vomissent des malédictions. Hurlant comme un insensé, le jeune garçon souffre de tous les pores de sa peau. Les démons et divinités qui l'habitent expriment leur fureur. « Trois cent soixante-cinq idoles brisées par la faute de ce jeune Juif. Qu'il périsse ! » hurlent les idoles par la voix éraillée du jeune garçon. Pour tenter de calmer l'enfant, Marie le couvre du linge de Jésus. Aussitôt, les démons fuient son corps par la bouche. L'enfant vomit des ombres en forme de serpents, puis soudain se tait et s'assoit, apaisé. On aurait pu croire que rien ne s'était passé, si ce n'étaient les centaines de statues en miettes qui jonchaient le sol.

– Le ciel des Égyptiens est tombé des cieux ! ironise Jésus en montrant les débris des faux dieux.

Tout prêtre attend de ses divinités qu'elles soient efficaces, protègent et guérissent. À l'évidence, celles dont il conduisait le culte se sont inclinées devant plus puissant qu'elles.

– Mon fils est guéri ! s'exclame-t-il, les larmes aux yeux.

Marie essuie la transpiration sur le visage du jeune Égyptien. Transfiguré, celui-ci sourit pour la première fois de sa courte existence.

– Ce dieu étranger est puissant, reconnaît le prêtre en remerciant la famille judéenne d'avoir sauvé son enfant.

La nouvelle de la chute des idoles traverse le pays plus rapidement que le vol d'un faucon. Afrodisius, ancien prédicateur gaulois devenu général romain, se rend aussitôt au temple avec ses soldats. Il veut vérifier la véracité de ces rumeurs et punir les responsables de tout ce désordre.

En début de soirée, il pénètre dans le temple et découvre les statues brisées. Une scène d'apocalypse qui le fige sur place. Sa colère cède le pas à la peur. Avec prudence, il s'approche de Marie qui porte Jésus dans ses bras.

– Je ne veux pas que mon armée périsse comme celle de Pharaon lancée à la poursuite de Moïse et des Hébreux fuyant l'Égypte ! avance-t-il prudemment.

Les dix plaies qui frappèrent jadis l'Égypte pour forcer Pharaon à accepter le départ des Hébreux sont encore dans tous les esprits. « C'est d'Égypte que j'appellerai mon fils ! » ont annoncé les prophètes d'Israël. Afrodisius ne veut pas prendre le risque que le sort se répète. Il demande à ses soldats de s'écarter et de laisser Joseph et sa famille poursuivre leur voyage, alors que de tout le pays accourt une foule venue contempler les idoles gisant à terre.

Craignant que le Romain ne change d'avis, Joseph et Marie reprennent sans attendre la route en direction d'Alexandrie. Un raccourci, certes, mais un chemin infesté de brigands.

La rencontre des deux voleurs

« Dans trente ans, ces voleurs seront mis en croix à mes côtés. »

(*Évangile en arabe de l'enfance*, 23)

Le soir même, à l'entrée d'une région désertique, des gémissements étouffés par des éclats de voix leur parviennent. Un pillage se déroule loin de tout. Un crime clandestin, anonyme, presque confidentiel. Le mal existe-t-il si personne ne le voit à l'œuvre ? Entravés, les survivants dépouillés de leurs vêtements remuent comme des vers, alors que leurs agresseurs butinent leurs maigres biens. Joseph se tient à distance. Comment pourrait-il intervenir seul contre une bande de bandits armés jusqu'aux dents ? Soudain, un vacarme effrayant fige les voleurs. Ils tendent l'oreille. Le poignard à la main, ils tentent de deviner d'où vient ce bruit d'une foule en mouvement. Des hennissements, un cliquetis d'épées et le son confus de voix martiales… à l'évidence, une armée s'approche. Peut-être des légions romaines, ou des soldats égyptiens en mission de police. Affolés, les brigands décampent, abandonnant leurs proies et le fruit de leur larcin.

Joseph attend encore quelques instants avant de rejoindre le campement. Les captifs libérés de leurs liens les dévisagent, étonnés. Se pouvait-il qu'un vieil homme, une femme et un enfant aient mis en déroute la bande de pillards qui les avait capturés ?

– Vous précédez sans doute l'armée que nous avons entendue approcher, suppose l'un des voyageurs.

Joseph, encore plus surpris qu'eux, répond un peu gêné :

– Je ne sais pas. Je n'ai vu aucune armée. Mais peut-être ne va-t-elle pas tarder.

Pour éviter qu'ils ne posent plus de questions, Joseph décide de reprendre aussitôt la route. Il tient à s'éloigner le plus vite possible du lieu. D'autres brigands attirés par l'odeur du sang ne tarderont sans doute pas à reprendre le pillage là où il a été interrompu par une armée invisible. Joseph veut aussi éviter les questions des voyageurs avides de savoir qui les a protégés. Quel homme, quel dieu est leur sauveur ? Ils ne cesseront leurs questions qu'une fois la vérité connue !

À court de réponses, Joseph reprend précipitamment la route d'Alexandrie. Tout en marchant, il se tourne vers Jésus. Le visage innocent, l'enfant nonchalant ondule au pas tranquille de l'ânesse.

– As-tu aidé ces pauvres gens ?

À califourchon sur la monture de Marie, Jésus ne peut s'empêcher de montrer sa satisfaction.

– J'ai multiplié les bruits de nos pas jusqu'à donner l'impression d'une grande foule. Ces brigands l'ont bien cru. Ils se sont enfuis de tous les côtés ! dit-il, les yeux pétillant de malice.

« Comment se faire oublier d'Hérode si Jésus multiplie les prodiges ? réfléchit Joseph en tirant sur les rênes de l'ânesse. Il vaut mieux que nous traversions ce désert de nuit, pense-t-il. Si nous maintenons le pas, au petit matin nous arriverons à la ville des sycomores où nous pourrons nous reposer. Nous y serons en sécurité. »

*
* *

Quelques heures plus tard, alors que la nuit sans lune masque leurs pas, ils traversent sans s'en rendre compte un campement de voleurs. Des dizaines de brigands ensommeillés croient un instant rêver en voyant cette manne tomber toute cuite dans leurs mains.

– Dépouillons-les ! chuchote l'un des brigands à son voisin, de crainte de réveiller leurs autres complices et d'avoir à partager le butin.

– Laissons ces voyageurs aller en paix, Dumachus, lui propose Titus, lassé d'une vie de larron.

Dumachus hésite. Il préférerait détrousser ces proies faciles sans alerter le reste de la troupe et conserver pour eux deux le fruit de leur larcin.

– Prends ma ceinture, propose Titus. Tu y trouveras quarante pièces d'argent. Mais ne faisons aucun mal à cette famille.

Dumachus prend la ceinture, la soupèse et, sa conscience de voleur visiblement satisfaite, accepte de ne pas donner l'alarme.

– Que Dieu te protège et pardonne tous tes péchés, souffle Marie à Titus.

Alors qu'ils s'éloignent du campement, Jésus murmure à l'oreille de Marie.

– Dans une trentaine d'années, ces deux voleurs seront crucifiés à mes côtés, Titus à ma droite et Dumachus à ma gauche.

Marie, les larmes aux yeux, serre son fils dans ses bras.

– Que Yahvé te protège d'un tel malheur, supplie-t-elle.

Mais Jésus poursuit, comme si tout cela ne le concernait pas.

– Ce jour-là, Titus montera au Ciel avant moi.

Quelques heures de marche plus tard, alors que le soleil se dévoile timidement au bout du désert, les premières habitations de la ville des sycomores apparaissent, au grand soulagement de Joseph.

Abyssus abyssum invocat[1]

« Quand la nuit venait, le serpent la pénétrait de sa queue comme un homme. »

(*Évangile en arabe de l'enfance*, 16)

Arrivée dans cette région d'Égypte habitée par de nombreux enfants d'Israël, la famille fait une halte à la première fontaine pour se désaltérer. Puis Marie lave les linges de Jésus dans l'eau pure. Le soir venu, ils entrent dans la ville. C'est un jour de fête, à en croire la foule rassemblée sur la grand-place. Chacun porte ses plus beaux vêtements, des tréteaux sont chargés de fruits et d'amphores pleines

1. L'abîme appelle l'abîme.

de vin. Apparemment, la petite troupe arrive en pleine célébration d'un mariage. Mais la noce n'est pas joyeuse.

Malgré la peine qui marque les visages, la famille de la mariée accueille chaleureusement les visiteurs et propose de les héberger le temps nécessaire à leur installation dans la ville. Soulagée par l'hospitalité offerte, Marie ne se réjouit pas pour autant. La tristesse évidente de ce mariage la désole.

– La joie devrait vous animer. Que se passe-t-il donc ? demande-t-elle.

Le père de la mariée baisse les yeux.

– C'est vrai, ce jour devrait être le plus beau de notre vie, or c'est le plus lugubre ! Ma fille est devenue muette et sourde en raison d'un mauvais sort jeté par des magiciens.

Le visage défait, l'innocente jeune fille ne parvient plus à articuler un mot. Ses oreilles n'entendent plus aucun son. Épouvanté à l'idée qu'elle lui donne des enfants sourds et muets, son mari l'a aussitôt répudiée. Qui voudrait introduire une femme maudite dans son foyer ? Prostrée, la pauvresse attend dans un silence assourdissant que la mort veuille bien la délivrer.

Son père tapote son épaule pour lui annoncer l'arrivée des Judéens. La jeune fille lève les yeux et aperçoit Jésus blotti dans les bras de sa mère. Est-ce la beauté de l'enfant, ou celle de sa mère ? Elle ressent l'irrésistible désir de les serrer dans ses bras. Les yeux criant d'affection, elle se précipite, presse Jésus contre son sein, puis couvre de baisers et de caresses l'enfant qu'elle n'aura jamais. Ses parents ne parviennent pas à retenir leurs larmes. C'est la première fois, depuis que le mauvais sort l'a frappée, que leur fille semble revenir à la vie. Elle n'avait pourtant commis aucun péché qui justifiât un tel châtiment ! La jeune fille embrasse de nouveau Jésus, puis Marie. Soudain, le sort qui jusque-là nouait sa gorge se défait et ses oreilles se rouvrent au monde. « Le seul parfum de cet enfant a suffi à délier sa langue et son ouïe ! » s'exclament ses parents. La joie rend parfois aveugle ! Les uns concluent hâtivement que Jésus est un ange descendu sur terre pour sauver la jeune fille de la malédiction qui la frappait. Les autres, tout aussi éblouis, ne doutent pas que Jésus, Marie et Joseph ne soient des dieux !

La rumeur envahit la ville en peu de temps. Un jeune garçon venu de Judée accomplirait des prodiges ! Pour Joseph, cette popularité n'est pas une bonne nouvelle. Bientôt des dizaines de malheureux afflueront vers la ville dans l'espoir d'être guéris. D'autres plus nombreux encore voudront être délivrés de maléfices jetés par des magiciens. Si les Égyptiens vivent entourés de divinités et de démons, les Juifs du delta condamnent toute forme de sorcellerie. Tout contact avec un jeteur de sorts, un devin, un astrologue, une sorcière ou un nécromancien leur est interdit. Le crime de sorcellerie équivaut à celui de sacrifice humain. « Nul ne laissera vivre un sorcier ! » C'est écrit dans le récit de l'Exode. Joseph qui avait cru trouver asile parmi les siens se doute que leur hospitalité sera désormais bien éphémère.

Comme pour confirmer ses inquiétudes, une jeune fille se précipite à leur rencontre. Affolée, le visage ridé par la peine et inondé de larmes, elle fend la foule sans précaution. Dans ses bras, elle tient serré contre sa poitrine sa seule raison de vivre, son enfant qui, torturé par la lèpre, ne cesse de crier sa souffrance. Le cœur battant la chamade au rythme de son dernier espoir, elle tend son fils vers Jésus. Attristée par tant de peine, Marie prend l'enfant. Pour soulager sa douleur, elle lave son front avec le linge encore humide de la fontaine. Aussitôt, les terribles plaies disparaissent et la peau de l'enfant retrouve sa pureté. De joie, sa mère tombe à genoux. Elle hésite à reprendre son enfant de crainte que le charme ne cesse à son contact. Mais Marie, souriante, la rassure en lui rendant son fils guéri.

Pendant ce temps, entre émerveillement et dénonciation, la rumeur enfle. La guérison étonnante de l'enfant court sur toutes les lèvres et ne tarde pas à franchir les portes de la ville. Des personnes de plus en plus nombreuses viennent désormais chercher le salut ! Marie sauve d'autres lépreux de façon tout aussi extraordinaire. Comment pourrait-elle ignorer les supplications de ceux qui souffrent ? Les malheureux affluent, au grand dam de Joseph.

L'abîme appelle l'abîme. Dès le lendemain, un homme se précipite à la rencontre des Judéens. Il ne peut plus satisfaire sa femme. Un cruel maléfice l'a frappé et le voilà incapable de la féconder. Mort de son vivant, il n'aura donc pas de descendance. La pire des malédictions ! Désespéré, il supplie les parents de Jésus de séjourner une nuit chez lui dans l'espoir que sa funeste impuissance prenne fin. À contrecœur, Joseph accepte de séjourner une nuit chez cet homme dont le désespoir a touché Marie.

Au petit matin, le sort est dénoué. Au milieu de la journée, la ville entière est au courant. Hérésie ou blasphème ? L'ignorance est bien le seul péché, conclut Joseph.

Le malheur du monde ne leur laisse aucun répit. Le soir même, alors que Joseph et Marie retournent chez leur hôte, une femme entièrement nue fait irruption sur la place. Peu importe son fils qui la regarde horrifié, peu importe la foule qui détourne les yeux par peur plus que par pudeur ! Elle virevolte et danse comme une démone sans jamais s'épuiser.

– Elle ne supporte aucun vêtement, explique son fils, et refuse de rester dans notre maison. Nous avons beau l'attacher, elle défait ses liens et s'enfuit chaque nuit !

Cela fait des mois que cette femme erre sur les routes et, l'humeur noire, lance des pierres à ceux qui osent l'approcher.

– Elle ne trouve refuge qu'au milieu des tombes, ajoute son fils dévasté.

Beaucoup l'ont vue plonger dans le fleuve y retrouver l'esprit maléfique qui s'est emparé d'elle. Personne n'en doute. Sous la forme d'un long serpent, l'esprit l'enlace, la caresse, se blottit sur son ventre. Chaque nuit, il la couvre et la connaît. Le démon s'allonge sur elle, l'embrasse à pleine bouche et la pénètre de sa queue comme un homme ! Une union sinistre, contre nature, qui suscite la souffrance de sa famille et souille l'ensemble de la communauté.

– Nous vivons et revivons ce tourment sans un instant de repos, avoue son fils.

Marie, touchée par cet enfant aimant qui ne sait que faire pour sauver sa mère, prend Jésus dans ses bras et s'approche de la possédée. Touchée par la douleur de cette famille qui vit un deuil permanent, elle espère pouvoir calmer la malheureuse et lui offrir quelques instants de quiétude.

Une pierre à la main, la femme échevelée, le corps nu, souillé de boue et de poussière, fixe Marie. Elle hésite à frapper cette étrangère. Peut-être, en découvrant le petit garçon, se souvient-elle d'avoir été une mère. Mais l'esprit malin ne compte pas l'abandonner si facilement. Ses lèvres tremblent. De l'écume surgit de sa bouche. Elle secoue ses seins lourds en sautillant d'un pied sur l'autre. Marie ne recule pas. Elle avance encore plus près d'elle et lui tend Jésus. La possédée s'immobilise. Jésus la frôle. Devant la foule sidérée, la femme saisit l'enfant dans ses bras, le serre contre son corps tourmenté, le dévisage, et contre toute attente, l'embrasse.

Aussitôt, la possédée recouvre ses esprits. Elle regarde autour d'elle, découvrant la foule qui l'observe, interdite. Soudain, elle aperçoit son fils et rougit, réalisant qu'elle se tient là, devant lui, nue comme un cadavre. Puis elle court vers ses parents qui la vêtent d'un manteau avant de la couvrir de baisers. Délivrée, la femme laisse couler des larmes de joie. Honteuse, elle remercie Marie de lui avoir rendu sa vie. Le mauvais esprit ne reviendra pas. Elle peut de nouveau exister parmi les vivants.

La population est partagée. Heureuse de la délivrance de la possédée qui hantait ses nuits et terrorisait le voisinage, elle s'inquiète néanmoins du pouvoir étonnant de cette mère et de son enfant. S'agit-il de magie ou de prodige ?

Une nouvelle fois, Joseph préfère quitter la ville plutôt que d'affronter la défiance grandissante de ses habitants. Au respect, parfois à la vénération, succéderont en effet tôt ou tard la crainte, puis la haine. Sa longue expérience des hommes le guide. Ceux qui aujourd'hui adorent leur bienfaiteur, souvent le lapident le lendemain. Un risque qu'il ne fera pas courir à Marie ni à Jésus. Il aime Marie comme une fille. Sœur d'âme, épouse de cœur, la douce jeune femme est placée sous sa responsabilité. Son enfant est également le sien. Malgré son grand âge, il n'aura de cesse de les protéger. Alors, avec un soulagement non dissimulé, il reprend la piste vers le pays de Goshen.

Les trois sœurs et le mulet

« Nous avons consulté tous les magiciens et tous les enchanteurs, mais aucun d'eux n'a rien pu faire pour nous. »

(*Évangile de l'enfance en arabe*, 20)

Le soir-même des sanglots les rattrapent. Au détour d'une colline, des silhouettes courbées se précisent. Marie n'a pas le cœur de détourner le regard.

– Quel malheur vous a frappées pour que vous pleuriez ? demande-t-elle aux trois femmes qui se lamentent sur le bord du chemin.

Celles-ci sèchent rapidement leurs larmes, honteuses d'avoir été surprises dans ce moment de désarroi. Mais sans répondre à sa question, elles se redressent et l'interrogent à leur tour.

– Que faites-vous sur cette route à la tombée du jour ? La nuit approche. Vous ne devriez pas vous attarder.

– Nous venons de Judée et nous rendons vers le nord du delta, précise Joseph. Nous espérons trouver l'hospitalité dans le prochain village.

Les trois sœurs n'ont pas besoin de se concerter. L'aînée les invite aussitôt à passer la nuit dans leur maison.

– Les nuits sont froides, notre maison est neuve et confortable. Suivez-nous, vous y serez bien accueillis.

Joseph et Marie acceptent cette proposition inespérée et les accompagnent, heureux de pouvoir coucher à l'abri du froid et des brigands qui pullulent. Jésus, endormi dans les bras de sa mère, se laisse bercer par le pas tranquille de leur ânesse. Un sourire aux lèvres, il ressent avec satisfaction le soulagement de Joseph.

Puis la détresse des trois femmes envahit ses rêves, le réveillant en sursaut. Avant que la lune n'apparaisse, ils atteignent la maison. Une des sœurs les fait entrer et les installe dans une chambre richement décorée.

– Retrouvons-nous dans quelques minutes pour le repas, propose-t-elle.

Une fois leurs effets déballés, leurs mains et pieds lavés de la poussière de la piste, Marie et Jésus déambulent dans la grande maison à la recherche de leurs hôtesses. Marie souhaite les remercier pour leur bonté mais aussi connaître la raison de leur tristesse.

Marie pousse les portes une à une et pénètre finalement dans une chambre. Les trois sœurs se tiennent debout. Tout à leur chagrin, elles pleurent et se lamentent sans s'apercevoir de sa présence. Au milieu d'elles, un mulet couvert d'une étoffe de soie brodée d'or et d'argent déguste tristement de la paille de céréales. « Que fait un mulet à l'intérieur d'une maison ? » se demande Marie, étonnée de tant de marques d'affection de la part des trois sœurs pour cet animal disgracieux. La tête allongée et trop grande pour son corps, le pelage grisâtre, le mulet n'est vraiment pas beau à voir. Pourtant les trois femmes l'embrassent, le caressent et chuchotent des mots doux à ses oreilles proéminentes.

– Vous semblez attachées à ce mulet, leur dit Marie en s'approchant.

Surprises, les sœurs se taisent et tentent de retenir leurs larmes. Puis elles se consultent du regard. Pouvons-nous faire confiance à cette étrangère ? se demandent-elles. En dévoilant notre secret, ne risquons-nous pas d'aggraver notre malheur ?

– Il n'y a pas d'homme dans cette maison, n'est-ce pas ? devine Marie.

– C'est vrai, notre famille est dépourvue d'hommes. Notre père est mort... Nous n'avons pas de maris, reconnaît l'aînée des sœurs.

– Notre père nous a laissé une grande fortune, mais alors que nous organisions le mariage de notre frère, un mauvais sort a frappé notre famille, continue la plus jeune.

Marie écoute avec compassion ces femmes révéler leur terrible secret.

– Ce mulet est notre frère, avouent-elles d'une seule voix.

– La jalousie des femmes de la région a été terriblement violente. Chacune voulait épouser notre frère et profiter de son héritage, explique l'aînée.

– Lorsqu'il a choisi de se marier avec une jeune fille convenable et non avec une de ces comploteuses, ces femmes folles de rage d'avoir été éconduites ont lancé des malédictions contre lui.

– Au petit matin, notre frère était transformé en mulet, conclut la cadette.

L'ensorcellement du jeune homme est pire qu'une métamorphose, c'est une véritable humiliation, une insulte pour toute la famille, un tourment pour leur père défunt. Le prophète Moïse a interdit aux enfants d'Israël le croisement des espèces. Issus du croisement d'un âne et d'une jument, les mulets sont supposés stériles. Produire des mulets est une faute contre Yahvé. De la même façon, l'homme soupçonné de mariage mixte ne produirait qu'une spiritualité inféconde et une descendance frappée d'impureté. Absalom*, le fils de David qui se révolta contre son père, ne fut-il pas mené à sa perte par son mulet qui pénétra sous les branches entrelacées d'un grand térébinthe ? Sa longue chevelure se prit dans l'arbre et son mulet l'abandonna à son sort. Absalom demeura ainsi, suspendu entre ciel et terre jusqu'à ce que Joab, le général de David, le capture et le mette à mort. La malédiction qui frappe le jeune homme sonne donc comme une condamnation à mort.

– Nous avons eu recours à des magiciens, des sorciers et des enchanteurs, consulté des sages, mais aucun n'a pu venir en aide à notre frère ! reprend la troisième.

Le cœur lourd, l'aînée des sœurs prie Marie de les secourir. Les prodiges accomplis par cette étonnante famille lui sont parvenus, elle semble persuadée que Marie est leur dernier espoir.

– Tu as guéri une jeune fille de la lèpre ! commence-t-elle. Celle que tu as sauvée nous a tout raconté. Tu l'as plongée dans l'eau du bain de ton enfant et toute trace de lèpre sur sa peau a aussitôt disparu ! Accepte de nous aider, je t'en supplie !

Le souvenir d'une douce jeune fille au corps couvert d'une lèpre blanche, la condamnant à une mort lente et solitaire, envahit Marie. « Sauvez-moi ! » avait-elle supplié. « Que puis-je pour toi ? » avait demandé Marie. La jeune fille devenue l'ombre d'elle-même espérait encore guérir. Après avoir baigné et couché Jésus, Marie, pour soulager la peine de cette jeune fille, avait répandu sur son corps abîmé un peu de l'eau du bain, qu'elle avait recueillie dans un vase. Sur-le-champ, les marques effrayantes qui flétrissaient sa chair jusqu'à ronger ses yeux avaient disparu. La jeune fille était guérie avant que Jésus ne s'endorme.

– Nous n'avons plus notre père pour nous consoler. Nous n'avons plus que notre frère, mais le voici condamné à la pire des existences. Nous te demandons seulement ta bienveillance pour notre frère.

– Aie pitié de nous, insiste la plus jeune des sœurs.

Marie, touchée par leur peine, ne peut retenir des larmes de compassion.

– Oubliez votre peur. La fin de vos malheurs est proche, promet-elle.

Puis elle se tourne vers Jésus, le prend dans ses bras et le place sur le dos du mulet.

– Que mon fils guérisse ce mulet. Fais-en un homme comme il l'était auparavant et rends-lui la raison, murmure-t-elle.

À peine ces mots prononcés, le mulet reprend forme humaine. Il se métamorphose en un jeune homme beau et sain, sans aucune séquelle de sa difformité. Les sœurs se réjouissent, riant et dansant de bonheur. Leur peine changée en joie, elles couvrent leur frère de baisers, puis lèvent l'enfant de Marie au-dessus de leurs têtes en lui rendant grâce.

– Vous avez transmué nos pleurs en allégresse ! dit l'aînée des sœurs. Notre frère, sauvé de la malédiction qui le frappait, peut désormais se marier.

À ce moment-là, la fiancée du jeune homme entre dans la chambre. Marie reconnaît aussitôt en elle la douce et aimante jeune fille qu'elle avait sauvée de la lèpre.

– Quelle meilleure épouse pour notre frère que celle que tu as guérie ? lance la sœur aînée.

– Nous resterons parmi vous jusqu'aux noces, accepte alors Marie, sous le regard satisfait de son enfant.

Joseph, Marie et Jésus demeurent dix jours dans cette heureuse maison. Ils y célèbrent ce merveilleux mariage d'amour et d'espérance puis, après avoir reçu mille bénédictions, reprennent le chemin du delta, vers ce fameux pays de Goshen où ils espèrent trouver hospitalité et protection.

Trois années au pays de Goshen

« Quand la femme qui les hébergeait apprit ce prodige, elle les renvoya précipitamment de chez elle. »

(*Évangile en arabe de l'enfance*, 25)

Enfin, les Judéens parviennent en terre de Goshen, à l'est du delta du Nil. C'est ici que s'établirent jadis les enfants du patriarche Jacob, avec leurs familles et leurs troupeaux. Les pères des tribus d'Israël vécurent d'abord heureux dans ce pays richement irrigué et favorable aux pâturages, avant d'y être contraints à la servitude par les pharaons d'Égypte. Ils fuirent le delta sous la conduite de Moïse, puis nombre d'enfants d'Israël s'y établirent à nouveau, malgré l'interdiction formelle des prophètes. Joseph espère trouver là une hospitalité fraternelle.

Une veuve accepte de louer une maison à cette étrange famille. Traités avec affection, ils séjournent loin des assassins d'Hérode et mènent une vie tranquille. Un anonymat bienfaisant qui les préserve plus efficacement qu'une armée. Un éphémère moment de paix, du moins jusqu'à ce que Jésus accomplisse un nouveau prodige.

La troisième année de leur séjour, leur tranquillité prend fin. Un moment que Joseph redoutait mais que Marie guettait avec vigilance.

Sa mère non loin de lui, Jésus joue comme chaque jour avec des enfants de son âge. Curieux, comme le sont tous les enfants, Jésus s'amuse d'un rien, d'une légion de sauterelles perdues, d'une écorce d'arbre à la forme bizarre ou d'une branche d'olivier abandonnée là par un sourcier malchanceux. Cette fois, c'est un poisson desséché, oublié dans un plat, qui retient son attention. Jésus l'observe, le tourne et le retourne, puis le secoue pour le débarrasser du sel qui l'enveloppe. En riant, il jette le poisson inerte dans une cuvette pleine d'eau. Alors survient le prodige ! Jésus parle au poisson, comme le font si souvent les enfants avec leurs jouets.

– Nage ! Nage ! lance-t-il en riant.

Ses camarades amusés l'encouragent. Jésus ordonne à nouveau au poisson de bouger. Et soudain, sous les applaudissements de ses compagnons de jeux, le poisson reprend vie et se met à nager comme tout poisson vivant.

La voisine, qui a surpris le manège des enfants et le prodige accompli par Jésus, le rapporte à tout le quartier.

– Le poisson une fois plongé dans l'eau est ressuscité, jure-t-elle.

– Jésus n'est pour rien dans la réanimation de ce poisson. C'est un simple tour de passe-passe ! commente un voisin.

– C'est un magicien ! prétend un autre.

Et la réputation de Jésus s'étend, au grand désespoir de Joseph. La veuve s'inquiète à son tour. « La proximité d'un magicien ne peut que m'apporter des problèmes ! » pense-t-elle. Il est temps de quitter cette ville, estime Joseph. Une nouvelle fois, ils rassemblent leurs effets et se préparent à prendre la route.

Retour en Galilée

« Va dans la ville de Nazareth et fixes-y ta demeure. »

(*Évangile en arabe de l'enfance*, 26)

Ces trois années sont passées si vite depuis leur fuite de Bethléem. À aucun moment Jésus ou Marie ne se sont plaints. Joseph, infatigable, les a guidés de campement en campement à la recherche d'un havre de paix. Depuis qu'ils ont été chassés par la vieille femme qui les hébergeait, ils parcourent les pistes avec une étonnante sensation de liberté. Lors d'une halte, alors que Joseph prépare leur tente, Jésus se met à gémir. Pour la première fois, des larmes coulent de ses yeux débordant de tristesse.

– Pourquoi pleures-tu ? s'alarme Marie.

– Élisabeth, la mère de Jean, est morte aujourd'hui, annonce Jésus. Son fils est désormais seul au monde.

Marie aimerait tant consoler Jean, l'embrasser, le serrer dans ses bras et l'accompagner hors du désert où il se cache.

– Ne sois pas inquiète, ma mère. Un ange protégera Jean. Il le nourrira et le surveillera dans le désert, promet Jésus.

La nuit même, Joseph se réveille en sursaut.

– J'ai fait un songe ! s'exclame-t-il.

Sans ajouter un mot, il réunit leurs affaires.

– Que se passe-t-il ? s'inquiète Marie.

Au regard joyeux de Joseph, elle comprend que le songe lui a apporté une bonne nouvelle.

– Le roi Hérode est mort ! déclare-t-il.

Le même jour que la juste Élisabeth, le cruel Hérode a rendu l'âme. Les entrailles rongées par des vers, il a souffert le prix de sa cruauté. Bien qu'à l'agonie, il avait encore trouvé l'énergie de faire enfermer des centaines de Juifs dans un hippodrome et commandé à ses soldats de les assassiner. « Je veux que le jour de ma mort ne soit pas un jour de liesse pour les Juifs ! Je veux que ce soit pour eux aussi un jour de deuil ! » explique-t-il à sa sœur en donnant l'ordre terrible de sacrifier ces familles innocentes. C'est à l'aune des malheurs qu'il infligeait qu'Hérode mesurait son pouvoir. Meurtrier jusqu'à son dernier souffle, il avait exigé que son propre fils Antipater, emprisonné par ses soins, fût étranglé dans sa cellule. Son peuple conspirait contre lui, ses fils conspiraient contre lui, sa propre épouse Mariamne conspirait contre lui. Hérode en était convaincu. Mais il ne parviendra pas à porter la mort depuis l'au-delà. Son dernier souffle à peine envolé, les Juifs enfermés dans l'hippodrome sont libérés par sa sœur et son fils Antipater s'échappe de sa prison. Jésus, qu'il avait juré d'éliminer, est maintenant libre de retourner en Judée.

– Celui qui voulait la mort de l'enfant est mort. Vous pouvez rentrer chez vous, a annoncé l'ange à Joseph.

Cependant Archélaüs, le successeur d'Hérode, se révèle aussi cruel que son père. Haineux envers les enfants d'Israël, il suscite même la méfiance des Romains.

Toujours prudent, Joseph décide d'éviter Bethléem.

– Nous nous installerons en Galilée. Nous y serons plus en sécurité qu'en Judée. Rares sont ceux du pays qui frayent avec Rome.

Sur leurs pas, inexorablement, le cercle des prophéties se referme. Mais Joseph le sait-il ?

4

Sur le chemin de Nazareth

« Depuis, personne n'ose provoquer la colère de Jésus de peur d'être frappé de quelque mal. »
(*Évangile de Thomas l'Israélite*, 8)

Un rayon de soleil à Béthanie

« Nous sommes nés de la lumière, là où la lumière naît d'elle-même... Nous sommes ses fils. »

(*Évangile de Thomas*, 50)

Joseph choisit de rejoindre la Galilée en longeant les rives de la mer de Sel. En traversant le territoire de la Judée, il se tient prudemment à l'écart de Bethléem. Après quelques jours de marche, la petite famille fait une halte dans un village proche de l'embouchure du Jourdain, à mi-chemin de Qumrân et de Béthanie*. Est-ce la fatigue du voyage ou cette nécessité terrible de toujours fuir, mais Jésus paraît anxieux. Pour la première fois depuis leur séjour en Égypte, le garçon de cinq ans donne des signes d'exaspération. Marie aussi se montre soucieuse. Elle a appris que des dizaines d'habitants de la région de Bethléem sont frappés par d'effrayantes maladies. Le corps couvert de pustules, la plupart deviennent aveugles, les autres meurent dans de terribles souffrances. Obligée de se tenir à l'écart de

Bethléem, Marie regrette de ne pouvoir venir en aide à ces malheureux. Ces familles n'ont-elles pas déjà suffisamment souffert en perdant leurs nouveau-nés ?

Le visage fermé, Jésus joue en silence sur les bords d'un ruisseau. Il a échappé au massacre des innocents, mais n'en tire aucun soulagement. Des enfants du village le rejoignent, s'amusant de sa concentration et de la précision de ses gestes. Que façonne-t-il ? se demandent-ils. Il ne les remarque pas. Pas un regard. Pas un mot. Tout à son œuvre, il creuse des rigoles à l'aide d'une baguette de saule et forme des petits lacs. Sept comme les jours de la semaine. Un monde miniature qui provoque l'émerveillement de ses camarades.

– Un peu d'argile et un bâton suffisent à distraire la plupart des enfants, commente Joseph, goûtant au plaisir de ce rare moment de quiétude.

Mais les enfants ont des gestes d'enfants. Souvent des actes insensés, certes sans malice, mais capables parfois de transformer un instant de bonheur en tragédie. Dans l'exaltation du jeu, un jeune garçon piétine les fragiles digues de boue. Puis, de la paume de la main, il ferme la rigole par laquelle coule l'eau que Jésus s'amusait à faire aller et venir.

– Comment oses-tu détruire ce que je construis ! s'exclame Jésus.

En se moquant de sa colère, son camarade de jeux réplique avec une étonnante sagesse :

– Comment te permets-tu de bâtir durant le septième jour consacré par Yahvé au seul repos ?

Jésus se redresse furieux. Les villageois se rassemblent autour du groupe de garçons. Joseph s'approche, il doit empêcher que ce jeu d'enfant ne dérive en affrontement. Mais c'est trop tard. Jésus fait face à son camarade et lance une terrible malédiction.

– Tu as asséché mes rigoles ? Il en sera de même pour ta vie ! Tu as osé détruire mon œuvre ! Que tu sois sans vigueur, tes racines sans humeur et ta semence aride !

Aussitôt, frappé de plein fouet par les paroles de Jésus, l'enfant s'écroule desséché. Mort sans avoir eu le temps d'expirer.

Un groupe d'hommes en colère encercle Joseph et Marie. Les poings serrés, le regard noir, ils fulminent et menacent de les lapider. Le groupe enfle, les injures fusent. Ils ont entendu les malédictions proférées par ce voyageur, l'enfant s'est effondré sous leurs yeux. Tout le village le connaît. Il était en pleine santé et rempli de joie de vivre, rien ne pouvait présager de son sort. À l'évidence, Jésus a provoqué la mort subite du jeune garçon.

– C'est de la magie, rien de moins ! conclut un des parents, épouvanté par le pouvoir de cet enfant de cinq ans.

– D'où vient cet étranger ? D'où tient-il son pouvoir ?

– Cet enfant n'a pas sa place parmi nous ! Quittez ce village !

Marie prend Jésus dans ses bras. Pour le protéger de la foule qui s'affole, elle le serre contre sa poitrine et lui chuchote des mots réconfortants.

– Bénir ou maudire, il te faut choisir, souffle-t-elle.

Le regard froid de Jésus trahit la fureur qui bouillonne dans son cœur. Il ne regrette pas son geste. Après tout, ce garçon l'a bien cherché. En l'accusant de trahir le shabbat, il a dépassé les bornes !

– Bientôt le peuple entier se soulèvera contre nous. Où que nous allions, nous serons chassés ! Est-ce ce que tu veux ? s'inquiète Marie.

Jésus contemple sans compassion le corps sans vie du garçonnet.

– Qu'a-t-il fait pour mériter un tel sort ? insiste Marie.

– Celui qui détruit mon œuvre n'est pas digne de vivre ! tranche Jésus sans appel.

Marie tente de calmer sa colère. Elle lui explique d'abord combien une vie d'errance est tragique, puis l'encourage à réparer ce qu'il a provoqué.

– Rien ne te permet de prendre la vie d'un enfant, dit-elle. Ses jours n'étaient pas comptés, pourtant tu les lui as volés !

Jésus reste inflexible.

– Chaque action mérite rétribution, murmure-t-il entre ses dents.

Mais en voyant Marie affligée, se tordre les mains de désespoir, Jésus fléchit et retourne à contrecœur auprès du corps inanimé. Il observe la mort commencer son œuvre à fleur de peau. L'enveloppe charnelle ne ressemble plus au petit garçon qui a piétiné ses rigoles. Trop pâle, trop raide, ce corps n'est plus que l'ombre de lui-même.

– Tu n'es pas digne non plus d'entrer dans l'autre monde ! crie Jésus en frappant le corps inerte d'un violent coup de pied aux reins.

Devant les regards ébahis des villageois, il tire sans ménagement l'enfant par l'oreille.

– C'est parce que tu as détruit mon œuvre que tu n'entreras pas dans le repos céleste, poursuit-il.

Puis il lui ordonne de revenir à la vie.

– Lève-toi !

Aussitôt, l'enfant reprend conscience. Réanimé, il se relève et s'en va sans dire un mot, comme si rien ne s'était passé. Jésus impassible le regarde s'éloigner, le pas incertain mais le cœur battant. Marie lit dans les yeux de son fils le regret de n'avoir pu accomplir ce prodige pour sauver les enfants de Bethléem, assassinés à sa place par les soldats d'Hérode.

Joseph a beau prétendre que l'enfant s'est simplement évanoui et n'a fait que reprendre ses esprits, personne ne le croit. Alors sans laisser à l'ignorance et aux superstitions le temps de prospérer, il hisse Marie et Jésus sur leur ânesse et quitte le village en direction de Béthanie, sur la pente orientale du mont des Oliviers*, le lieu de l'Onction. Son ami Eléazar y possède une maison. Ils pourront s'y reposer quelque temps avant de rejoindre Nazareth.

*

* *

Après une journée de marche, Joseph, Marie et Jésus rejoignent les environs de Béthanie. La « Maison des sources » s'accroche au mont des Oliviers, à quelques pas de Jérusalem.

Eléazar les accueille chaleureusement. Béni par une richesse immense, il possède de nombreuses propriétés. Un palais dans Jérusalem gardé par la famille de Lévi, une maison dans la vallée du Cédron* hors de la cité de David, et bien d'autres jusqu'en Samarie. Mais c'est dans sa demeure familiale de Béthanie qu'Eléazar les reçoit avec bonheur.

– Séjournez dans ma maison autant de temps que vous le voudrez. Vous y serez tous trois à l'abri, promet-il.

Ses enfants, Lazare*, Marthe et Marie, entourent Jésus de l'affection familiale qui lui avait tant manqué durant la fuite en Égypte. Un frère et des sœurs avec lesquels s'amuser en toute innocence, sans crainte d'être jugé ou trahi.

Mais en Judée, un simple jeu d'enfant peut transformer un agréable village en porte de l'enfer. Ce répit ne durera que quelques semaines.

Il n'existe pas de magie bonne ou mauvaise, mais uniquement une magie interdite. Seul Yahvé peut changer ce qui est, redonner vie à un défunt ou animer un objet inerte. Toute magie est considérée comme maléfique et équivaut à de l'idolâtrie. Ni incantation ni malédiction ! Jésus ne peut échapper à cette obligation. Joseph n'oublie pas les temps de leur fuite en Égypte, lorsque, la peur au ventre, il craignait chaque nuit que les tueurs d'Hérode ne les rattrapent et n'égorgent son fils. Il tremble encore à l'idée que des voisins ne répandent à travers la Judée la rumeur d'un nouveau prodige de Jésus.

– Ce n'est pas aux hommes d'agir sur les forces de la nature ! s'époumone le vieux Jacob en rameutant le voisinage. J'ai vu Jésus tirer de la vase de la rivière et façonner – avec talent, je le reconnais – une douzaine d'oiseaux qui semblaient si réels que je ne parvenais pas à les quitter des yeux !

Les villageois guettent les réactions de Jésus. Une rumeur prétend que l'enfant aurait d'un regard rendu aveugles des personnes qui le critiquaient. Alors, par prudence, ils écoutent le récit de Jacob sans se risquer à un commentaire malheureux.

– Jésus a montré les oiseaux d'argile à ses camarades puis, pour les amuser sans doute, a frappé dans ses mains...

– Un jeu d'enfant ! l'interrompt Joseph. Ce n'est qu'un jeu d'enfant !

Le vieux Jacob ne compte pas arrêter là son récit. Il vient d'assister à l'événement le plus étonnant de son existence et est bien décidé à le raconter à qui voudra l'entendre.

– Il a frappé dans ses mains et aussitôt, les passereaux d'argile ont pris leur envol en gazouillant ! raconte Jacob.

En joignant le geste à la parole, il assemble ses mains pour en faire des ailes et mime le vol d'un oiseau. Une gesticulation presque comique qui éloigne pour un court instant la peur des villageois et ramène le sourire sur le visage de Jésus. C'était amusant ! se dit-il, scrutant le ciel à la recherche des passereaux. « Ils doivent être loin », confie-t-il à Marie, satisfait de son coup.

Jacob, encouragé par les rires de son public, poursuit dans un silence mêlé de crainte et de curiosité. Car le plus étonnant reste à venir.

– Jésus a ramassé de la terre détrempée, rapporte-t-il, et formé des sculptures de loups, d'ânes et de chèvres criantes de vérité. Je l'ai vu faire ! Je ne connais pas de plus habile artiste !

De ses doigts, il imite les gestes rapides de Jésus façonnant dans les moindres détails un petit troupeau de chèvres, d'agneaux et de bœufs.

– ... Puis Jésus ordonna aux figurines de marcher !

Alors que Jacob reproduit le pas ordonné du troupeau de glaise, les parents submergés de terreur à l'idée que

Jésus puisse donner vie à des objets inanimés, prennent leurs enfants par la main et les éloignent le plus vite possible de ce lieu maudit.

– Fuyez ! Ne jouez plus avec lui, c'est un enchanteur ! leur recommandent-ils.

– Pourquoi vous méfier de ce garçon ? Il n'accomplit que de belles choses, plaide Joseph.

Marie tente de retenir les villageois qui s'enfuient en traînant leurs enfants récalcitrants.

– Jésus ne cherche qu'à s'amuser et à distraire ses compagnons de jeux ! Il n'est qu'un enfant comme les vôtres, ajoute-t-elle.

C'est son vœu le plus cher qu'elle vient d'avouer sans le vouloir. Marie craint par-dessus tout que les pouvoirs étonnants dont Jésus fait preuve ne le mènent à une fin tragique. Aujourd'hui, elle donnerait tout pour que son fils vive une existence normale.

– Notre fils n'est pas un faiseur de prodiges ! Ce n'est qu'une rumeur absurde qui nous poursuit, explique Joseph, qui sait combien la magie est honnie par les lois d'Israël.

– Jésus risque de terribles châtiments s'il est reconnu coupable de blasphème, dit Marie. Cessez de prétendre qu'un enfant de cinq ans pratique la magie !

– C'est un simple tour de passe-passe, insiste Joseph. Cette illusion de magicien est connue des prêtres égyptiens que nous avons rencontrés lors de notre séjour dans le delta du Nil. C'est sans doute d'eux que Jésus l'a appris, ment-il…

Sa plaidoirie convainc tout de même les voisins de suspendre leur jugement. Même le vieux Jacob n'est plus certain de ce qu'il a vu.

Jésus cède aux supplications de sa mère et promet de se conduire désormais de façon moins extravagante. Mais peut-on attendre d'un enfant qu'il renonce à jouer ?

*

* *

Trois mois plus tard, alors qu'il joue dans une petite chambre, sous le toit de leur maison, avec Lazare le jeune fils de leur hôte, un rayon de soleil transperce soudain la pénombre. Il n'en faut pas davantage pour que Jésus oublie sa promesse.

– Regardez ce sentier lumineux ! Je peux m'y promener ! Lequel d'entre vous est capable de me suivre ? dit-il joyeusement en mettant au défi ses camarades de jeux de marcher sur un trait de lumière comme sur un pont.

Marthe et Marie, les sœurs aînées de Lazare, haussent les épaules en se moquant de Jésus. Mais les enfants du voisinage venus jouer avec lui et Lazare restent interdits. Et si leurs parents leur avaient dit la vérité ? Si ce nouveau venu était réellement un sorcier ?

En jouant avec insouciance, Jésus prend un de ces risques tant redoutés par Joseph. Il croit s'amuser, ne cherche qu'à jouer et distraire ses camarades, inconscient des dangers qu'il fait courir à sa famille en accomplissant des prodiges qui effraient davantage qu'ils n'étonnent.

– Nous sommes nés de la lumière là où la lumière naît d'elle-même ! explique Jésus. C'est pourtant simple !

Puis il enveloppe le rayon de soleil entre ses bras et se hisse en haut de la fenêtre.

– Je ne révèle mes mystères qu'à ceux qui se montrent capables de les comprendre ! se moque-t-il en grimpant.

De retour chez eux, les enfants rapportent à leurs familles stupéfaites que Jésus s'est glissé le long d'un rayon de lumière. « Et pourquoi ne pas marcher sur l'eau aussi ? » se moquent les parents. Prenant cette histoire pour un mensonge ou une illusion, ils ne croient pas à un blasphème. Et ceux qui conservent un doute citent, pensifs, la tradition : « Aux aveugles l'obscurité, aux autres l'existence ! » Habitués à l'irruption de la lumière dans leurs textes saints, ils se remémorent les propos des prophètes : « Que la lumière soit ! » avait décrété le Dieu d'Israël. Rien de mal ne peut donc sortir d'un rayon de soleil. L'âme n'est-elle pas une lumière divine ?

Le roi David, qui inaugure la lignée du Messie, n'est-il pas désigné comme « lumière d'Israël » ? Une ascendance qui, sous le joug romain, ne peut créer à Jésus et à son entourage que de terribles ennuis.

Joseph décide prudemment de quitter aussitôt la région avec Marie et Jésus en direction de Nazareth. Et il emmène cette fois avec eux les six enfants de son premier lit.

La famille au complet suit la rive bouillonnante du Jourdain engorgée de roseaux et de tamaris et traverse le pays montagneux de Samarie. Au sud de la Galilée, ils longent la plaine fertile d'Yizréel, lieu des batailles épiques d'Israël, contournent le village de Naïm et rejoignent enfin Nazareth où ils s'installent.

Joseph ne quittera plus le petit village. Jésus y poursuivra le métier de charpentier de son père tout en étudiant la Loi d'Israël, jusqu'à ce qu'il entende l'appel de son cousin Jean, fils d'Élisabeth et de Joachim, et sorte de la clandestinité.

Entre-temps, plusieurs événements allaient forger la personnalité étonnante du fils de Marie, tissant merveilleux et secret pour étoffer le mystère de sa présence sur terre.

À l'école des prophètes : les secrets des lettres

« Le maître irrité poussa Jésus et le frappa à la tête. Aussitôt l'enfant le maudit et le maître tomba sans vie. »

(*Évangile de Thomas l'Israélite*, 14)

Cinq années après leur arrivée à Nazareth, un ancien professeur de Jésus vient témoigner devant les anciens de son étonnante expérience. Les récits des prodiges accomplis par le fils de Marie lui ont été rapportés. Apprendre que cet enfant extraordinaire vit toujours à Nazareth l'a frappé de terreur et d'impatience. Enfin il va revoir son ancien élève face à face. Pour la première fois, il revient à Nazareth, le cœur pétri de peur, mais convaincu qu'il doit dévoiler la vérité à ses habitants.

– J'ai voulu instruire ce jeune garçon, prétend-t-il, mais devant tant de connaissances et de sagesse, j'ai préféré renoncer.

Un pieu mensonge. Un aveu en guise d'avertissement. Ce soir, il vient alerter les Nazaréens. Ce garçon n'est pas comme les autres ! Barbu par conviction, ventru par gourmandise et bavard par profession, Zachée évite le regard de Jésus. Tel un insecte tournoyant autour d'une flamme, fasciné autant qu'épouvanté, rendu craintif par l'expérience, le maître n'ose pas saluer le jeune garçon, mais se tourne vers ses parents. Il estime que Joseph le charpentier est un homme sage, qui sait qu'un ignorant ne peut être un homme pieux. Décidé à éduquer Jésus, Joseph l'avait chargé de lui apprendre à lire, à écrire et à comprendre le sens des lettres et des Dix commandements donnés à Moïse.

La modeste école de Nazareth, réservée aux garçons, avait déjà pour enseignement exclusif celui de la Torah. Inspirée de ces maisons de la communauté que les Judéens édifient au gré des déracinements depuis leur exil à Babylone, la synagogue est une enclave d'Israël dans l'Empire romain. Prier et étudier les écritures font office de culte, le sacrifice d'animaux et leur abattage rituel étant petit à petit réservés aux idolâtres. Loin du temple de Jérusalem outrageusement hellénisé par Hérode le Grand et méfiants à l'égard des grands prêtres nommés par Rome, Galiléens, Samaritains et Judéens cherchent leur salut à travers des institutions locales. Comme dans les communautés de la diaspora, à Rome ou à Alexandrie, la synagogue est devenue le lieu où se rassemblent les enfants d'Israël, l'antidote à la division et à la dispersion, le rempart contre la disparition.

Joseph se refusait à cantonner Jésus à la fabrication des jougs et des charrues ; et Marie espérait qu'un maître éduque Jésus dans le respect des anciens et l'amour des autres enfants. Pourquoi limiter mon fils à équarrir le bois ou à chercher de l'eau ? se disait-elle.

– J'étais si présomptueux en ce temps, avoue Zachée. « Remets ton fils entre mes mains et je l'instruirai dans la doctrine d'Israël », avais-je promis.

Ni Joseph, ni Marie n'avaient trouvé alors d'arguments assez efficaces pour alerter le professeur. Certes, ils n'imaginaient pas un instant que Jésus puisse demeurer illettré. Durant leur fuite en Égypte, ils avaient pris la mesure de son étonnante intelligence. Mais ils connaissaient aussi ses surprenantes réactions. Jésus ne dévoilait aucun sentiment humain, ni tourment, ni regret. Il agissait par justice et non par pitié. Mais qu'est-ce que la justice sans amour ? se demandait Marie.

Zachée s'adresse à Marie, un accent de regret dans la voix.

– Je n'imaginais pas combien j'étais incapable de répondre à tes inquiétudes ! déplore-t-il.

Mal à l'aise, les habitants de Nazareth écoutent leur ancien professeur en silence. Un jour, il avait disparu. Sans explication, Zachée avait soudain quitté la synagogue et abandonné tous ses élèves. Depuis, ils n'avaient reçu aucune nouvelle de sa part. La plupart le croyaient mort et attendent avec impatience ses explications.

– J'accueillis Jésus à l'école de Nazareth pour lui enseigner un peu d'humanité.

Il risque un coup d'œil rapide vers son ancien élève et ajoute, comme un aveu d'impuissance :

– Dès qu'il m'a rencontré, Jésus m'a toisé. J'ai senti son regard me transpercer et sonder mon cœur et mes reins. « Je ne suis pas concerné par ton enseignement, m'a-t-il annoncé ». Il m'a regardé alors sans aucune expression, et s'est moqué de moi. « Je me tiens devant toi mais je ne te reconnais aucune légitimité à être mon professeur ! » Puis il m'a touché comme s'il touchait un serpent. « Tu es fait de chair, ce qui te rend faible et faillible, alors que moi, je ne suis qu'esprit ! » Voilà ce qu'il m'a dit, puis il s'est tu et m'a ignoré.

Un chuchotement trahit la nervosité de la petite assemblée. La peur gargouille quelques instants puis chacun, curieux de connaître la suite du récit de Zachée, intime à son voisin de se taire, et d'un geste amical encourage l'ancien maître de la synagogue à en dire plus sur Jésus.

– Je voulais simplement lui apprendre l'amour de son prochain, affirme Zachée d'un air dépité. Mais lui ne considère dignes d'amour que ceux qui sont capables de comprendre les mystères du monde. Pourtant, le code de sainteté des prêtres nous l'enseigne depuis des siècles : « Aime ton prochain comme toi-même. » Pour ma part, je respecte chaque jour la règle d'or énoncée par le sage Hillel l'Ancien : « Ne fais pas à autrui ce que tu ne veux pas qu'il te fasse », mais devant cet enfant j'ai senti grandir en moi la crainte plutôt que l'amour.

Jésus, sans pitié pour son ancien maître, se désintéresse de ses propos. Peut-être ne se rend-il même plus compte de sa présence.

– En classe, Jésus gardait le silence. Alors que j'écrivais fièrement les vingt-deux lettres de notre alphabet, il ne me gratifiait pas même d'un regard… Comme aujourd'hui !

Le maître s'adresse tour à tour à la famille de Jésus, puis aux anciens de Nazareth, à ceux qui apprécient l'enfant comme à ceux qui souhaitent son départ. Devant eux, comme pour prouver la véracité de son récit, Zachée dessine du bout des doigts des lettres dans le vide.

– Je lui ai demandé de lire les lettres, à commencer par le *beth*, la seconde, car prononcer la première, *aleph*, qui est muette, sans y ajouter de ponctuation, me paraissait difficile pour un débutant, explique-t-il, encore ébranlé par cette première et dernière leçon qu'il donna à Jésus.

Encore irrité par ce court séjour à l'école, Jésus trépigne d'impatience.

– Ce maître est incapable d'enseigner ce que lui-même ne connaît pas, critique-t-il entre les dents, les yeux fixés vers le sol.

– J'avoue ne pas avoir réussi à intéresser Jésus à mes propos, convient Zachée. Il m'ignorait royalement. Alors j'ai voulu lui montrer qui était l'élève et qui était le maître. Ma patience a été mise à rude épreuve ! J'ai saisi ma baguette et ai asséné un léger coup sur sa tête. J'espérais attirer son attention, mais je n'ai obtenu que son désintérêt définitif pour mon enseignement !

Le maître ne savait pas que d'autres avant lui avaient pris le risque d'éduquer cet enfant. Il explique sa courte satisfaction lorsque Jésus, réveillé par ce coup de baguette, fit mine de découvrir sa présence et se tourna enfin vers lui.

– Ce garçon me dévisagea et d'une voix glaciale, presque menaçante, il m'avertit : « Sache que celui qui est frappé enseigne davantage à celui qui le frappe qu'il n'en apprend de lui ! L'enclume frappée blesse le frappeur !

Les Nazaréens lancent des regards réprobateurs vers cet enfant insolent.

– Il ne me fit aucun mal, s'empresse d'ajouter Zachée.

Jésus s'était contenté de le questionner à son tour.

– « Si tu m'expliques ce qu'est la lettre *beth*, alors je t'expliquerai ce que signifie la lettre *aleph* », me dit-il. Sa proposition me plut. Je croyais enfin établir un rapport entre nous et tentais de répondre de mon mieux.

Contrairement à ses espérances, le maître semblait être devenu l'élève. L'élève questionnant le savoir de l'enseignant. L'enseignant contraint de mesurer l'immensité de son ignorance. En écoutant le récit de Zachée, l'assemblée est envahie d'un sentiment bizarre, à la fois exaltant et effrayant. Si les élèves enseignent à leurs professeurs, c'est donc que le renversement du monde est en marche ! Rome conquise par ses esclaves ; les Juifs soumis imposeront la loi de Moïse à travers l'Empire ! C'est écrit par les prophètes, se souviennent-ils. Quelques Nazaréens se prennent à rêver l'arrivée d'un Sauveur. Pourquoi ce Sauveur ne serait-il pas cet enfant ? Après tout, Jésus paraît vraiment différent de tous.

Zachée calme d'un geste les discussions qui fusent dans l'assemblée et revient à son récit.

– Alors que je peinais à expliquer clairement le sens caché des lettres, Jésus se moqua de moi : « Hypocrite ! Comment celui qui ne connaît pas le sens de la lettre *aleph*, peut-il connaître le sens de *beth*, et ainsi de suite jusqu'à *tav ?* »

Pour la première fois depuis le début de son récit, Zachée s'approche et s'adresse directement à Jésus.

– J'étais honteux, confesse-t-il. Honteux de ne pas être capable de t'enseigner le sens des lettres. Mais quelques jours plus tard, j'appris qu'un autre maître avant moi avait tenté de t'enseigner les lettres. Ce maître, fâché contre toi, te frappa. Alors – contrairement à moi – il perdit conscience et tomba immédiatement dans un profond coma. Il respirait encore, mais l'ange de la mort le tirait par les pieds !

L'assistance se tait. Personne n'ose prendre la parole. Une mort naturelle, espèrent les villageois. Zachée dévisage son ancien élève en cherchant la réponse à la question qui le torture depuis : « Pourquoi m'as-tu épargné ? »

Joseph se souvient de ce triste épisode comme si c'était hier. Par crainte des représailles, il avait aussitôt interdit à Jésus de sortir de leur maison, redoutant que quiconque osant le contrarier ne se trouve aussitôt frappé de mort.

– Ce malheureux professeur agonisa des semaines durant, reprend Zachée. Puis mourut.

Zachée poursuit avec prudence son récit. Il pèse ses mots, maîtrise ses regards, contrôle ses gestes. Il a été frappé par la sagesse et la clairvoyance de Jésus. Certes, au premier abord, il avait perçu le talent étonnant de Jésus comme une menace, de l'arrogance et du mépris, mais l'enfant l'éblouit et suscita chez lui une profonde fascination.

– L'*aleph*, la première lettre des Dix commandements. C'est bien celle qui exprime l'être divin ! m'enseigna Jésus. Ne vous fiez pas aux apparences, l'enfant qui se tient devant vous me dévoila le sens du *beth*, la lettre de la « réparation », celle qui désigne la maison de notre Créateur. Puis il railla mon ignorance en me rappelant que le *tav*, la vingt-deuxième et dernière lettre de notre alphabet, est celle du sceau divin.

Jésus, debout entre Joseph et Marie, écoute soudain le récit de Zachée avec attention. Il sent peser sur lui tous les regards et ne résiste pas à ajouter une explication aux propos de son éphémère enseignant.

– Toute lettre, de l'*aleph* jusqu'au *tav,* se distingue par sa disposition. En comprenant l'une, on comprend l'autre ! assène-t-il d'une voix à peine audible, mais sans appel.

Dans un silence écrasant, Jésus conclut, pressé d'aller jouer dehors :

– Le début est enraciné dans la fin et la fin dans le début.

Un Nazaréen s'enflamme aussitôt.

– Comment cet enfant peut-il proférer de telles paroles ? En a-t-il le droit ?

– Jamais nous n'avons entendu de tels propos ! Ni les prêtres, ni des scribes, ni même des pharisiens n'ont prononcé de telles choses ! s'écrie un autre paysan.

Devant la sagesse étonnante de Jésus, les Nazaréens hésitent entre émerveillement et effroi. D'où cet enfant peut-il tenir pareille connaissance ?

Malgré l'agitation des villageois, Zachée ne répond pas à leurs questions. Il veut seulement témoigner de sa propre expérience. Comme pour venir à son secours, Jésus reprend la parole, ramenant d'un mot le silence dans la maison.

– Pourquoi vous étonnez-vous ? Zachée vous a rapporté fidèlement notre rencontre.

Le jeune garçon laisse passer quelques secondes puis ajoute avec une douceur aiguisée :

– Pourquoi ne me croyez-vous pas quand je dis savoir d'où vous êtes nés et quand vous êtes nés ?

Les Nazaréens se taisent, effrayés à l'idée même de connaître la réponse aux questions qu'ils se posent.

– Vous vous émerveillez de peu de choses et vous effrayez de trop ! se moque-t-il.

Rassuré de ne pas avoir perdu la raison, Zachée poursuit son récit.

– Vous comprenez maintenant quand je vous dis que cet enfant s'est adressé à moi comme un maître à son élève ! « Toi qui enseignes la Loi, tu dois en observer les préceptes », me conseilla-t-il d'un ton ferme et sans appel.

Les Galiléens pressés dans la petite maison retiennent leur souffle. La capitulation du professeur de leur école devant les propos d'un jeune garçon sans expérience les rend nerveux.

– Est-ce que cet enfant appartient vraiment à cette Terre ? interroge un paysan.

– Renvoyons-le d'où il vient ! lance un autre.

La connaissance de Jésus est si grande qu'elle ne peut relever du monde d'en bas, mais provient bien du monde d'en haut. Les Nazaréens craignent plus que tout le mélange d'espace et de temps entre divin et mortel. Même si le monde est le lieu de Dieu, Dieu doit en être absent. Alors toute expression surnaturelle les effraie.

– Fuyons ses paroles ! Son pouvoir est tel qu'il pourrait éteindre le soleil s'il le décidait ! Méfions-nous !

Zachée hoche la tête de dépit. Il pense encore aux paroles de Jésus avant qu'il ne quitte définitivement son école. « Toi qui lis la Loi, je te le conseille, reste dans la Loi. Mais ne l'oublie jamais, moi, je suis né avant la Loi ! » À ce souvenir, la peur le rattrape, il perd contenance et se tord les mains d'anxiété. Surpris par l'attitude de Zachée, quelques Nazaréens mettent en doute son récit.

– Je n'étais pas seul ! Vous devez me croire, insiste-t-il. D'autres maîtres assistaient à notre conversation ! Eux aussi s'inquiétaient des propos de Jésus. « Cet enfant n'a que cinq ans à peine ! Comment peut-il connaître autant de choses ? » s'étonnaient-ils. Il s'exprimait d'une voix chaude, intelligible et épouvantable aussi. Car ces mots illuminants sortaient d'une bouche enfantine.

L'ancien maître de la synagogue de Nazareth se tait pour mieux se souvenir de ces instants hors du temps qui le terrorisent encore aujourd'hui.

– « Vous êtes trop craintifs pour me reconnaître », nous a dit Jésus. Et croyez-moi ! Personne n'osa alors se moquer de lui. Nous éprouvions un terrible malaise. Cet enfant se jouait de nous et pourtant nous croyions chacun de ses mots.

Non, Zachée n'a pas rêvé. Il le sait maintenant. Face à son élève, il reconnaît ce même regard qui lui coupa le souffle, blanchit ses cheveux et fit rayonner son cœur.

– Celui que Joseph m'a confié n'a rien à recevoir de l'enseignement d'un maître. Je suis un vieillard et j'ai été vaincu par un enfant, convient Zachée. Regardez ! Il brille d'une intelligence et d'une éloquence qui ne sont pas naturelles.

Emballé par cette conversation, Zachée perd sa réserve. Exalté, il lance en direction de Marie les questions qui le rongent.

– Son langage est si pur… Quel ventre l'a enfanté ? Le sais-tu toi-même ? Qui est vraiment la mère de cet enfant ? Qui est vraiment son père ?

Marie ne répond pas. Elle craint les réactions des Nazaréens et se voit déjà reprendre la route de l'exil. Partagés entre crainte et admiration, les anciens hésitent. Faut-il chasser Jésus du village sans attendre ou en savoir davantage sur ce mystérieux garçon ?

– Je vous en supplie tous, jette tout à coup Zachée. Faites sortir Jésus de votre village. Il ne devrait pas fouler cette terre. Faites-le sortir de ce monde ! Nous ne devrions pas le contempler. Moi-même, je quitte immédiatement Nazareth. Je n'aurai de répit que loin de sa vue. Cet enfant n'appartient pas au monde des vivants ! Tenez-vous loin de lui ! Qu'il soit bon ou mauvais, nous ne devons pas rester près de lui !

Sur ces mots, Zachée fend la petite assemblée et quitte la maison. D'un pas rapide, sans se retourner, il espère mettre la plus grande distance entre lui et ce village. Les Nazaréens le suivent du regard en silence jusqu'à ce qu'il ralentisse et s'immobilise. Il fait demi-tour, avance de quelques pas et tend sa main droite vers les anciens. Depuis la porte de la maison, ceux-ci observent l'ancien professeur s'éloigner en titubant.

– Regardez ! Sa main se dessèche ! lance un paysan en bondissant en arrière.

Soudain Zachée se fige. Il se demandait pourquoi Jésus l'avait épargné. Mais il vient de comprendre que personne ne le sera. Ses jours étaient épuisés, il aura seulement bénéficié d'un sursis. « Le vieillard qui approche de la fin de ses jours doit interroger un jeune enfant s'il veut connaître le mystère du Lieu de la Vie. C'est bien ce que j'ai fait », se dit Zachée en tentant encore quelques pas. Il vient de comprendre le sens de sa conversation avec son ancien élève. Ce sont réellement les enfants âgés de six ans qui instruisent ceux qui sont âgés de soixante ans. C'est donc parmi les enfants que se cache l'esprit divin. « Beaucoup parmi les premiers seront les derniers », murmure Zachée soulagé. Il avance encore, puis il vacille, et tombe mort.

Épouvantés, des Nazaréens s'enfuient en criant aux autres de les imiter et de quitter immédiatement le village. Zachée les avaient bien prévenus. Il leur faut se tenir le plus loin possible de Jésus, sinon ils risquent tous de subir le même sort.

Un vieux scribe qui ne voit en Jésus qu'un enfant possédé par un démon entreprend de rassurer les Nazaréens.

– Vous faut-il vraiment d'autres preuves que ce Jésus est un faiseur de prodiges, un enchanteur ? Pire ! Un jeteur de sorts ! insiste le scribe. Je suis docteur de la Loi ! J'ai aussi été témoin du bref passage de Jésus à l'école de la synagogue de Nazareth. Cet enfant n'est pas comme les autres ! Mais ne quittez pas Nazareth, c'est à lui de partir !

Comment ne pas comprendre la réaction des villageois ? Des injures fusent. La peur se montre d'abord. Ensuite les armes parleront. La crainte de la disparition inspire les pires accusations. Le vieux professeur a été injustement arraché à la vie, mais ce n'est pas la première fois que l'ange de la mort se fraye un chemin dans le monde des vivants. Même leur terre change sous leurs pieds ! Le sol paraît de plus en plus difficile à cultiver, et la plaine a perdu de sa fertilité malgré le torrent qui l'irrigue. Son aridité résulte de leur impiété, les paysans l'ont bien compris. Une terre de fer et un ciel d'airain pour seul horizon, ils attendent le coup fatal qui transformera leurs champs en désert. Le coup de grâce viendra-t-il de ce jeune garçon ? Toute transgression de la Loi fera désormais office d'avertissement.

Mais cette fois, Joseph refuse de prendre la fuite. L'ange qui l'a visité en songe lors de leur exil en Égypte était formel : « Retourne chez toi et installe-toi à Nazareth. » Joseph ne partira pas. C'est ici en Galilée qu'il veut terminer sa vie. Jésus travaillera avec lui. Il apprendra le métier de charpentier et mènera une existence tranquille. Joseph est décidé à ne plus fuir. Pour convaincre les Nazaréens de les laisser en paix, il fait appel au bon sens et tente de les persuader que Jésus n'a rien à voir avec la mort du vieux professeur et promet que son enfant ne sortira pas de leur maison tant que la peur les habitera.

– Tant qu'un Nazaréen craindra d'être frappé de mort parce qu'il s'oppose à lui, Jésus ne quittera pas notre maison ! assure-t-il.

À la fois une promesse et une menace pour calmer la population du village et protéger son fils. Une trêve qui prendra fin cinq ans plus tard, l'année de la majorité religieuse de Jésus.

Le dernier prodige de l'enfance

« Jésus resta dans le Temple, parmi les docteurs de la Loi et les savants des fils d'Israël. »

(*Évangile en arabe de l'enfance*, 50)

Lors de sa treizième année selon le calendrier de Judée, après son douzième anniversaire selon le calendrier romain, Jésus accède au statut d'adulte. Responsable et punissable pour ses actes, obligé de respecter les Commandements, l'adolescent est désormais compté dans le quorum de la prière et autorisé à lire la Torah lors des rituels religieux.

Quelle meilleure occasion pour se rendre à Jérusalem que d'y célébrer la plus importante des trois fêtes de pèlerinage ? C'est Pessah, fête du printemps et de la moisson de l'orge, cette Pâque qui célèbre l'exode des Hébreux d'Égypte conduits par Moïse et la renaissance du peuple d'Israël.

Marie et Joseph emmènent donc Jésus à Jérusalem. Le fils aîné d'Hérode le Grand, Hérode Archélaüs, trop ambitieux et trop violent envers les Juifs, a été détrôné par l'empereur, puis exilé en Gaule dans la région de Lugdunum. Son frère Hérode Antipas veille sur la Galilée pour le compte de Rome, alors qu'un préfet contrôle désormais la soumission de la Judée. Une accalmie passagère dans un ciel d'orage. Alors les pèlerins se font encore plus nombreux à Jérusalem.

La pierre blanche de Jérusalem scintille sous le soleil de printemps. Les murailles aux reflets cuivre et or brasillent comme un avertissement. L'incendie n'est pas loin. Combien de temps encore la roche vierge de Jérusalem pourra-t-elle supporter le joug romain sans s'effriter ?

La foule des pèlerins est immense. Ils viennent hâter la venue du Salut promis par les prophètes. Plus ils seront purs, plus facilement Yahvé acceptera d'envoyer un sauveur libérer son peuple. D'autres considèrent que le Salut passe par la purification de leur terre de tous les étrangers qui la profanent. Alors les légions romaines toujours sur le qui-vive encerclent la cité de David durant les fêtes de pèlerinage. Une garnison établie en permanence dans la forteresse Antonia, qui surplombe l'esplanade du Temple, surveille le va-et-vient des fidèles. Le sanctuaire, au sommet du mont, éblouit les sages et aveugle les pieux. À la moindre étincelle, Jérusalem s'enflammera. Des siècles de souffrances serviront de combustible. La peine épuisée, le sang attisera le feu et la foi dictera sa loi.

Cent fois conquise, cent fois détruite, cent fois reconstruite, Jérusalem se relève perpétuellement de ses ruines. Les mêmes pierres inlassablement rassemblées reforment la cité de David. Des monuments différents, des maisons différentes, mais toujours les mêmes pierres perpétuant son destin. Ir Sâlom, la cité de la Paix, défie les pires prédictions. Les empires éphémères se succèdent et elle se dresse toujours là, au même endroit, comme un terrible avertissement à l'encontre des envahisseurs, des pilleurs et des voleurs d'âmes.

Marie, Joseph et Jésus entrent dans Jérusalem par la porte de l'Eau. L'*Ophel**, cité originelle de David, est submergée de pèlerins. Les assoiffés se précipitent pour puiser l'eau vive de la piscine de Siloé* avant de monter vers le Temple. Le torrent du Gihon qui l'abreuve n'est-il pas l'un des quatre fleuves qui irriguent le jardin d'Éden ?

La foule en effervescence sépare Jésus de ses parents. Un raz de marée humain qui l'emporte vers le large, par-delà le mausolée de la prophétesse Houlda. Marie, paniquée, se tourne vers Joseph. Le flot des pèlerins se déverse sur l'esplanade du Temple. Jésus a disparu. Trois jours durant, ils cherchent leur enfant, interrogent les fidèles, fouillent les moindres ruelles de la cité. Aucune trace de lui.

Tandis que Marie et Joseph le cherchent sans relâche, Jésus se trouve tout simplement dans le Temple où il a rejoint les savants et les docteurs de la loi d'Israël, des vieillards expérimentés, des sages, des philosophes, des astronomes et des médecins, la fine fleur de la science des hommes.

– Tu sembles décidé à demeurer dans le sanctuaire, jeune garçon. Mais as-tu déjà lu les Livres saints ? lui demande un docteur de la Loi.

– J'ai lu tous les livres et ce qu'ils contiennent, répond Jésus.

Puis il commente devant l'assemblée des savants l'Écriture, les mystères des prophéties, le sens des préceptes et celui de la loi donnée à Moïse. Éblouis, les sages multiplient les questions.

– Je n'ai jamais rencontré une intelligence si prodigieuse ! s'exclame le doyen des docteurs de la Loi.

À leur tour, les astronomes interrogent Jésus sur la science des astres. Et Jésus de décrire les corps célestes, leur nature et leurs mouvements, des connaissances étonnantes alors que nul humain n'a observé les sphères de près !

– Celui qui cherche trouvera, prévient-il pour rassurer les anciens décontenancés.

Impatients d'en savoir davantage sur leur propre science, les savants en médecine sollicitent Jésus sur le corps humain et ses humeurs. Là encore, Jésus répond sans hésiter. D'une voix assurée, il les informe sur les artères et les os, décrit le fonctionnement de la parole, de la colère et du désir, l'influence de l'âme sur le corps, les sentiments et les vertus, Jésus explique ce que personne n'expliqua à ces savants avant lui. Le plus ancien des philosophes se lève les larmes aux yeux, ému par tant de sagesse.

– Désormais, je suis ton élève et tu es mon maître, déclare-t-il.

Guidés par la rumeur qu'un enfant étonnant instruit les sages de Jérusalem, Marie et Joseph traversent l'esplanade du mont du Temple, interrogeant les pèlerins un à un. Soudain, ils découvrent Jésus en pleine conversation, assis au milieu des savants.

– Nous te cherchons depuis trois jours ! lance Marie.

– Ton absence nous a beaucoup inquiétés, renchérit Joseph.

Jésus se relève et serre Marie dans ses bras.

– Vous auriez dû me chercher d'abord ici, sur l'esplanade du Temple, reproche-t-il. Je suis chez moi dans la maison de notre Père.

Les savants les entourent, exaltés par les conversations qu'ils viennent de tenir avec Jésus.

– Cet enfant est-il votre fils ? demande le doyen des docteurs de la Loi.

– Oui, il est bien mon fils, confirme Marie en couvrant Jésus de baisers.

– Sois heureuse d'avoir enfanté un tel prodige, ajoute le vieil homme.

Joseph ne compte pas s'attarder plus longtemps à Jérusalem. Il salue l'assemblée de savants et tous trois s'en retournent à Nazareth.

À partir de ce jour, Jésus se réfugie dans l'anonymat. Ce prodige sera le dernier de son enfance. Discret, il dissimule désormais ses étonnants talents et ne provoque plus aucun mystère. En fils dévoué, il continue d'étudier la Loi et se consacre pleinement au métier de charpentier, aidant son père dans ses entreprises. Durant près d'une vingtaine d'années, Jésus n'attirera plus l'attention des hommes et mènera une existence paisible à l'écart du monde.

5

Le destin de Joseph le Juste

« *Je n'ai jamais entendu dire qu'une femme*
ait conçu sans homme, ou qu'une vierge ait enfanté
en conservant le sceau de sa virginité ! »
(*Histoire de Joseph le charpentier*, 17)

La mort du père

« Nous sommes surpris que tu n'aies pas rendu ton père de chair immortel ainsi que le sont Hénoch et Élie ? Pourtant, Joseph est juste et élu. »*

(*Histoire de Joseph le charpentier*, 30)

Nazareth. Jésus a dix-huit ans, Joseph en a cent onze. L'âge idéal pour quitter son corps est de cent dix ans chez les Égyptiens, et de cent vingt ans dans la tradition d'Israël. À mi-chemin entre le temps de la servitude en Égypte et l'assomption de Moïse, Joseph se sent mourir. Son âme ne veut pas rester plus longtemps prisonnière de son corps. Elle doit en sortir, mais Joseph ne cède pas. Lui qui n'a jamais été malade, lui qui n'a pas perdu un cheveu ni une dent fait l'expérience désagréable de l'affaiblissement soudain de sa chair.

– Il faut donc souffrir pour que l'âme parvienne à se séparer du corps, se lamente-t-il.

Jésus en larmes se tourne vers sa mère, assise aux pieds de Joseph. Depuis ses douze ans, elle vit dans la maison de

Joseph et a accompagné chacun de ses pas. Un immense chagrin l'envahit en pensant à son existence qui s'achève. Joseph s'était marié à quarante ans. Puis il avait perdu sa femme. À quatre-vingt-onze ans, il avait pris Marie sous sa protection, deux années avant leur mariage et la venue au monde de Jésus dans un insondable mystère.

– Ton père Joseph, si bon et si juste, pourquoi lui, qui m'a aimée et honorée, tomberait-il dans les filets de la mort ? Pourquoi les hommes justes ne vivent-ils pas pour toujours ? se demande-t-elle, son indignation dictée par la détresse.

– Il n'est pas un homme qui ne sera déshabillé de son enveloppe charnelle. Le corps mourra, mais le souffle de l'esprit sera emporté au Ciel, lui répond Jésus, pensant soudain à la crucifixion qui lui est promise et à sa propre agonie.

La voix de Jésus sort Joseph de sa torpeur.

– Mon fils chéri, ta voix apaise mes souffrances, murmure-t-il.

Il tente avec difficulté de se redresser pour plonger son regard embué dans celui de Jésus. Marie prend sa main et la couvre de baisers, puis caresse ses pieds. La chaleur s'envole, elle quitte sa chair, constate-t-elle en soufflant sur ses pieds pour ramener la vie qui se retire. Pas plus que lui, elle n'accepte que son corps se glace et que ses lèvres se ferment à jamais.

– Pour toi mon père, ou toi ma mère, votre mort n'est pas une mort, mais le passage inévitable pour la vie éternelle qui vous est réservée, promet Jésus.

– La fièvre s'en est allée, annonce Marie avec innocence, alors que c'est le souffle qui quitte Joseph.

Sentant la faiblesse le gagner, Joseph s'était rendu une dernière fois à Jérusalem. Dans le Temple, il avait supplié Yahvé de lui envoyer l'ange Gabriel pour l'assister et l'aider à libérer son âme de son corps sans souffrance. Mais revenu à Nazareth, c'est tourmenté, plein de frayeur et de regrets que Joseph subit la pénible maladie qui veut l'emporter. L'âme douloureuse, l'esprit torturé, il rassemble ses forces pour confier à Jésus le doute qui l'a habité toute sa vie.

– J'étais décidé à répudier ta mère lorsque je l'ai découverte enceinte, avoue-t-il, mais l'ange qui m'apparut en songe me demanda de la garder. Je l'ai écouté et j'en suis heureux. Ne m'en veux pas, mon fils, mais je n'ai jamais pu concevoir qu'une vierge enfante et puisse après son accouchement conserver intact son hymen. Si l'ange ne me l'avait affirmé, je ne croirais ni à la virginité de Marie, ni au mystère de ta présence.

Même un secret de famille qui coule de source est fait pour être levé. Aux dernières extrémités de son existence, Joseph mesure qu'il y a bien plus que la vie. Le passage d'un homme sur terre n'est rien, pense-t-il.

– C'est une pensée humaine qui empêche de croire, précise Jésus.

Joseph écarquille ses yeux comme pour mieux distinguer l'ange de la mort.

– Voici l'heure terrible qui a vu expirer mon père Jacob, prévient-il. Elle se rapproche désormais de moi.

Marie caresse de nouveau ses pieds. Ils sont glacés. Attristée, elle se précipite et va chercher ses enfants.

– Venez, venez tous, votre père arrive à ses derniers moments.

Les six autres enfants de Joseph l'entourent. Tous se lamentent. Ils se pressent pour le toucher une dernière fois et le couvrent de baisers comme d'un manteau d'amour pour le protéger des tourments de l'ange des ténèbres. Parmi eux, Jésus et Marie pleurent en imaginant les puissances de l'abîme encercler le sage vieillard.

– Malheur à nous ! Après notre mère bien-aimée, c'est notre père qui succombe à son tour ! se récrie Assia, la fille aînée de Joseph.

Jésus ne pense qu'à l'âme de son père. Les larmes inondent les yeux de Joseph. Il a vu les démons des ténèbres approcher, leurs visages et leurs corps hérissés de flammes. Joseph pousse un terrible gémissement. « Il faut que les anges Michel et Gabriel escortent l'âme de mon père jusqu'au lieu où séjournent les justes ! » se dit Jésus.

Marie serre les mains de Joseph comme pour le retenir sur cette Terre. Elle aperçoit soudain les signes de la mort sur son visage. Lui lève la tête vers elle, puis fixe Jésus. « Ne m'abandonne pas ! » supplient ses yeux.

Jésus pose sa main sur son cœur. Son âme remontée jusqu'à la gorge se prépare à s'envoler. La mort fait le siège de son corps. Ses serviteurs, crachant de la fumée, agitent leurs vêtements de feu. Joseph sait qu'ils sont venus le chercher. Il verse une larme et son âme se détache de son corps. L'heure amère est arrivée. Jésus s'adresse aussitôt aux cohortes qui l'encerclent, et menace les puissances des ténèbres jusqu'à faire reculer la mort elle-même.

– Veillez sur Joseph comme sur la lumière de vos yeux, prévient-il. Il est mon père de chair et a veillé sur moi toute mon enfance.

À ces mots, Joseph souriant découvre les anges qui vont l'escorter. Il n'aura donc pas à traverser le fleuve de l'enfer ni les vagues de feu qui purifient les défunts avant d'accéder à l'autre vie.

– Père, tu n'as pas à redouter ce passage vers l'autre monde, souffle-t-il à son oreille.

Puis les anges Michel et Gabriel recueillent son âme, la placent dans un linceul de lin et de soie et l'accompagnent jusqu'au lieu du repos éternel.

Nul ne s'est rendu compte que Joseph a rendu l'âme. Pas même Marie qui ne lâche pas ses mains. Jésus se penche alors sur son enveloppe vide et ferme ses yeux et sa bouche.

– Malheur à nous ! s'exclament ses enfants en pleurant. Notre père est mort sans que nous nous en apercevions ! déplorent-ils. Nous ne l'avons pas accompagné jusqu'au bout !

Éprouvés, Assia et Jacques saisissent les mains de Jésus.

– Sa vie éternelle a commencé, leur dit-il. Joseph a quitté notre monde de souffrance pour le royaume des cieux.

Aussitôt, ses frères se mettent à déchirer leurs vêtements. Pleurs et lamentations durent jusqu'à la neuvième heure. Puis le corps de Joseph est placé dans une grotte sépulcrale au côté de celui de son père Jacob. Jésus, en pleurs, songe à toutes les peines que Joseph a supportées pour lui, et pose ses mains sur son corps.

– Que la mort n'ait aucun pouvoir sur ta chair. Que ton corps reste inaltéré. Que rien ne puisse venir le corrompre, dit-il.

Jésus se ressaisit et console ses frères et sœurs.

– Joseph n'a jamais été malade. Ses forces n'ont jamais faibli. Il vécut tous les jours de son travail jusqu'à son dernier jour, rappelle-t-il.

À Marie, inconsolable qu'un homme si pieux soit soumis à un trépas qui lui semble prématuré, il adresse ces mots comme pour la préparer au jour de sa propre dormition :

– Même s'il avait vécu dix mille ans, il aurait finalement connu la mort.

Au fond de lui, Jésus mesure à travers l'agonie de Joseph combien sa propre mort est nécessaire. « Il me faut connaître les souffrances des êtres de chair et de sang afin de leur être miséricordieux », se dit-il.

– Quiconque fera l'aumône au nom de Joseph ne manquera jamais de rien. Celui qui nommera son fils d'après mon père, ni la famine ni la peste n'entreront dans sa maison, promet-il encourageant la pratique d'un culte de Joseph.

Cent onze ans ! Dans la durée de l'existence de Joseph est inscrite la promesse de sa résurrection : trois fois le chiffre un, celui qui désigne le don de l'existence à partir du néant. Harmonie et miséricorde. La Loi ne fut-elle pas donnée à Moïse au cours du troisième mois après la sortie d'Égypte ? Le chiffre trois manifeste la présence divine. Le père et le fils sont face à face, l'un à la fin de son existence sur Terre, l'autre au début de sa vie publique. La fin se trouve dans le commencement et le commencement dans la fin.

*

* *

Avec la disparition de Joseph, c'est une page de l'histoire des enfants d'Israël qui se tourne. Respecté pour sa sagesse, considéré comme juste et pieux, Joseph, fils de Jacob, a connu l'agonie de la monarchie hasmonéenne et suivi les derniers jours de la république de Rome. Il a vu le dénouement tragique de la lutte fratricide entre Hyrcan et Aristobule pour le trône de Judée et ne craignait rien de pire que l'union de l'ignorance et de la peur.

Avec toute sa génération, Joseph a subi l'entrée sacrilège des légions romaines dans Jérusalem conquise, qui brandissaient leurs insignes impurs en forme d'aigle et de sanglier. Avec horreur, il a assisté aux premiers coups de pioche d'un millier de prêtres embauchés par Hérode le Grand pour démonter le précieux temple, édifié à Jérusalem par les Judéens rapatriés jadis de leur exil à Babylone. Avec inquiétude, il a suivi la construction d'un nouveau temple, trop grand, trop haut, trop romain. La division du peuple a ouvert la porte aux pires sacrilèges ! Joseph se méfiait des luttes intestines qui facilitent toujours les projets égoïstes.

Joseph le Juste, de la glorieuse tribu de Juda, descendant de la Maison de David, referme le cycle de l'épopée des enfants de Jacob-Israël. Tout ne commença-t-il pas lorsqu'un autre Joseph, fils d'un autre Jacob, accueillit ses onze frères et leurs familles dans le delta du Nil ? Quatre siècles plus tard, Moïse, avec son frère Aaron et sa sœur Myriam, conduisait leur peuple vers la Terre promise. Aujourd'hui, toutes les conditions sont réunies pour que le nouveau sauveur se révèle.

Les distillateurs de mensonges se sont emparés de la Parole. Le bon sens s'est perdu en chemin. Jérusalem a été martyrisée, outragée, profanée, mais Jérusalem est toujours sainte. Joseph a toute sa vie obéi aux songes envoyés par Gabriel, le prince des anges, et suivi à la lettre les prescriptions divines. Pourtant, ce vingt-sixième jour d'Épiphi, mois égyptien des récoltes, ce vingtième jour du mois de juillet dans la quarante-deuxième année du règne d'Auguste, Joseph subit le sort des pires impies comme des plus grands prophètes. Malgré la justesse de son cœur, il est livré à la mort qui règne en maître sur le monde, sans distinction entre les bons et les mauvais. Ce mois est dans le calendrier d'Israël celui d'Av, ce mois du réconfort et de la consolation qui vit Aaron frère de Moïse expirer comme tout être de chair et de sang. C'est à cette date que le temple de Jérusalem fut détruit par les Babyloniens de Nabuchodonosor, c'est aussi le mois où les eaux du Déluge commencèrent à se retirer, laissant Noé apercevoir le sommet des montagnes.

6

La rencontre avec Jean le Baptiste*

« Il n'est pas surgi parmi les enfants des femmes de plus grand que Jean le Baptiste »
(*Éloge de Jean le Baptiste*, 33)

La lampe qui brûle et brille dans la nuit

« Qu'êtes-vous allés voir dans le désert ?
Un roseau agité par le vent ? »

(*Éloge de Jean le Baptiste*, 133, 21-22)

Après le trépas de Joseph, Jésus demeure douze années dans Nazareth sans en sortir, entièrement consacré à l'atelier de charpentier de son père. Jusqu'au jour où les prédications de son cousin Jean, surnommé le Baptiste, le rappellent à sa mission.

– Jean, le fils de ma cousine Élisabeth, baptise pour la rémission des péchés. Rejoignons-le au bord du Jourdain et faisons-nous baptiser par lui ! propose un jour Marie à Jésus.

Consacré à Yahvé dès sa naissance, le fils de Zacharie et d'Élisabeth est avant tout un *nazir*. Habité par l'Esprit, voué au service divin, il s'abstient de boire tout boisson fermentée, ne coupe ni ses cheveux ni sa barbe et ne touche pas de cadavre. Réfugié dans le désert depuis l'âge de trois ans, il y a fortifié son esprit et son corps. Vêtu d'un manteau de poil de chameau, une ceinture autour des reins, Jean a quitté Jérusalem pour renouer le dialogue entre le Créateur et ses créatures. N'est-ce pas dans le désert que « Celui qui est » se manifesta à Moïse ? Pour préserver la pureté rituelle qui lui est imposée, le nouvel Élie évite tout aliment douteux. En se nourrissant exclusivement de miel sauvage, il retrouve le goût de la manne, ce pain céleste qui sustenta les Hébreux durant l'Exode. Sa réputation d'ascète se répand à travers le pays. Son message prophétique convainc. Selon Jean, la fin du monde est proche. La venue du Sauveur imminente. Le temps de l'expiation des péchés arrivé. Chacun doit se préparer à l'ère messianique et s'armer de piété et de justice. La plongée purificatrice dans l'eau vive du Jourdain renouvelle, reforme et revivifie les initiés. Une nouvelle naissance leur est offerte. Le corps et l'âme lavés du péché originel, le baptisé est prêt à entrer dans le règne divin.

– Aurais-je commis un péché pour devoir me faire baptiser par Jean ? rétorque Jésus.

Marie insiste. Ce n'est pas la première fois qu'elle incite son fils à rejoindre Jean. N'est-il pas de la descendance d'Aaron, frère de Moïse et premier des prêtres d'Israël ?

– … À moins que je n'aie commis à mon insu un péché qui mérite repentance, convient Jésus, car selon la Loi, le péché inconscient aussi doit être expié.

Convaincu par sa mère, Jésus se rend sur la rive droite du Jourdain où Jean baptise les fidèles. La Maison des sources, autre nom de Béthanie-au-delà-du-Jourdain, appartient à une région imprégnée par l'espérance messianique. Au sud-est de Jéricho, ce lieu saint se trouve à proximité du Guilgal, le cercle de douze pierres qui vit jadis la nouvelle circoncision des tribus d'Israël entrant en Terre promise. Un autre Jésus, *Yéchoua* en hébreu, Josué, devenu *Iésous* en grec, y guida la renaissance de sa nation dans l'Alliance avec Yahvé.

« Au-dessus de ce même fleuve, les cieux s'ouvriront. Alors, venu du temple céleste, l'esprit de sagesse se posera sur le Sauveur plongé dans l'eau ! » La prédiction est sur toutes les lèvres. Marie n'y a pas échappé. Le prophète Malachie* avait jadis annoncé la venue de « Celui qui aplanira le chemin devant Yahvé ». Jean le Baptiste est bien ce messager. Tel le prophète Élie, Jean crie dans le désert : « Préparez-vous à la venue de Yahvé ! » Les circonstances sont réunies pour que la prophétie s'accomplisse. Jean ne naquit-il pas alors que Jésus était conçu dans le ventre de Marie depuis trois mois ? Le premier était chargé de préparer son peuple à l'arrivée du second.

Pourtant, lorsque Jésus se présente devant Jean, le Précurseur ne le reconnaît pas. Les cousins ne se sont certes pas revus depuis leur petite enfance. L'anachorète et le charpentier ne se ressemblent pas. Jean ne devine pas dans cet homme venu de Nazareth le sauveur qu'il attend. Rien de bon ne peut venir de Nazareth, prétend la rumeur. Comment ce jeune homme poussé par sa mère à se faire baptiser pourrait-il être le Justicier des Apocalypses ?

Des disciples du prophète sont pourtant venus à la rencontre de Jésus le Nazaréen, précédé par la rumeur de ses prodiges.

– Es-tu celui qui doit venir, demandent-ils, ou devons-nous en attendre un autre ?

Jésus répond sans détour, avec le même aplomb que l'enfant qu'il était face aux docteurs de la Loi.

– Dites à Jean que c'est moi qui ai levé la stérilité d'Élisabeth et délié la langue de Zacharie. Dites-lui que c'est moi qui suis venu à sa rencontre alors qu'il était encore dans le sein de sa mère.

Les prodiges, les guérisons, les résurrections… beaucoup de monde témoigne de la bonne nouvelle annoncée à Israël.

– Dites-lui que les aveugles voient et que les paralysés marchent !

Les disciples de Jean en ont le souffle coupé. Le Nazaréen peut être le sauveur attendu.

– Je viens pour ôter le péché du monde. Dites à Jean que mon Père l'a envoyé en éclaireur devant moi.

*
* *

À la dixième heure de la nuit, ce onzième jour de la lune, le 6 janvier, Jean plonge Jésus dans le Jourdain. Les eaux du fleuve qui sépare la Terre promise des autres terres s'écartent pour mieux l'accueillir. Jean le maintient quelques secondes dans son linceul d'eau, puis Jésus en jaillit illuminé d'une lumière blanche. Les eaux se figent. Les nuages cessent leur course. Les sons deviennent visibles, les couleurs audibles, une première voix immense envahit le ciel.

– Voici mon fils bien-aimé !

Terrorisés, les fidèles venus pour être baptisés tombent face contre terre. La montagne ébranlée par leur crainte se met à trembler à son tour.

– Aujourd'hui je t'ai engendré ! ajoute une deuxième voix.

Une colombe surgit des cieux. La même qui, il y a une trentaine d'années, s'empara de la branche d'olivier de Joseph déposée dans le Saint des Saints et le choisit pour épouser Marie. La colombe plane quelques instants dans l'air immobile, frôle le Jourdain, descend vers Jésus, plonge soudain et disparaît en lui.

– Qui es-tu ? s'exclame Jean stupéfait.

Une troisième voix retentit du milieu des étoiles.

– Jésus est mon fils bien-aimé !

La surface de l'eau en feu, le Jourdain brûle alors que rien ne se consume. Après le buisson ardent qui illumina le cœur de Moïse, cette lumière ardente éclairant Jésus signale la présence divine. Jean n'a plus de doutes. Celui qu'il attendait se tient là devant lui. Sa beauté n'est pas de ce monde, se dit-il. Transfiguré, Jean s'agenouille dans l'eau. Il le reconnaît enfin. Lui, le précurseur, le sait maintenant. Le baptême de Jésus a révélé à Jean le Sauveur qu'il attendait. L'Esprit saint descendu du Ciel l'a marqué du sceau divin. « Cet homme est l'Élu ! Il est venu après moi, parce qu'il était avant moi », comprend Jean.

– Baptise-moi, toi aussi ! supplie-t-il. Tu es venu à moi, mais c'est moi qui ai besoin d'être baptisé par toi.

Jésus le relève. En refusant sa demande, il lui souffle à l'oreille :

– C'est ainsi que toute la justice doit s'accomplir.

Ce 6 janvier débute la vie publique de Jésus.

Jésus pleure Jean

« Personne n'est comparable à Jean. »

(*Éloge de Jean le Baptiste*, 33)

Repentance et purification inquiètent les autorités romaines autant que l'intrusion de troupes armées. Hérode Antipas a compris que Jean menace son pouvoir en Galilée et inquiète les Romains en Judée, région dont Ponce Pilate* a été nommé préfet par Tibère. La loi romaine fait désormais face à la loi juive. Un affrontement qui ne peut s'achever que dans le sang.

Jean le Baptiste, qui avait échappé de justesse aux glaives des assassins chargés du massacre des enfants de Bethléem, succombe un jour de février-mars sous la lame d'Hérode Antipas. Quelques mois après le baptême de Jésus, le jour de l'anniversaire d'Hérode, Jean est décapité dans sa cellule de la forteresse de Machéronte. Ce mois d'Adar, douzième du calendrier religieux juif symbolisé par un poisson, n'est pas un mois comme les autres. Son septième jour a vu la naissance et la mort de Moïse.

Hérode Antipas se méfie des incendies spirituels. Emprisonner Jean et l'éliminer lui paraît d'une prudence élémentaire. S'il espère un jour obtenir de César la couronne de Judée, il lui faut faire régner la paix romaine sur la région. Une ambition qui finalement lui coûtera cher.

C'est Hérodiade, la femme d'Hérode Antipas, qui a réclamé la tête de Jean. Il osait condamner son mariage incestueux – une femme ne peut répudier son mari, puis épouser son beau-frère ! La tête tranchée du Baptiste lui a été apportée sur un plateau. Les disciples de Jean ont couvert son corps et l'ont enseveli. La lampe qui éclairait la Terre s'est éteinte.

La terrible nouvelle parvient à Jésus qui se retire à son tour dans le désert. La solitude lui permet de mesurer combien l'espérance des enfants d'Israël est grande. Ceux qui suivaient le Baptiste s'attachent désormais à ses pas. Le roseau agité par le vent dans le désert s'est transformé en forêt. Une foule se forme autour de lui. Trop de fidèles viennent pleurer Jean. « Qu'ils s'en aillent ! » s'écrient les disciples, inquiets de leur nombre grandissant. Bientôt, cette foule sera incontrôlable et ne se contentera pas de nourritures célestes. Dans quelques jours, la foi laissera la place à la faim.

La foule s'agite, mais ne cède pas au désespoir. La fin des temps n'est pas pour aujourd'hui. À travers le supplice de Jean le Baptiste, les Galiléens devinent les prémices de la consolation promise à la nation d'Israël. Le voyage ne prend fin qu'en arrivant au port. À l'asservissement succédera la renaissance du peuple. Les douleurs de l'enfantement n'annoncent-elles pas finalement la délivrance ? Après l'amertume des deuils injustes, la certitude de temps meilleurs. De plus en plus nombreux, les fidèles refusent d'en douter.

– Il faut que cette foule se nourrisse, préviennent les disciples.

– Ils trouveront de quoi manger dans les villages alentour ! rétorque un autre.

Or la région est déserte. Le sol ingrat. Pas un arbre fruitier pour revigorer la foule.

– Avez-vous de quoi calmer leur faim ? s'inquiète Jésus.

Parent du défunt, Jésus se doit d'accueillir la foule compatissante venue pleurer Jean. Leur deuil est le sien. Ils viennent jusqu'à lui partager leur peine. « Comment leur témoigner ma gratitude ? » se demande-t-il en les voyant ainsi épuisés par des jours de marche.

– Nous n'avons que cinq pains et deux poissons, comptent les disciples.

Jésus fait signe à la foule de s'asseoir.

– Apportez ici ces pains et ces poissons. Cela suffira ! promet-il.

Alors que les fidèles, le ventre creux et le cœur gros, prennent place en silence au milieu des rochers et des buissons, Jésus bénit le pain et les poissons, puis les partage avec les disciples de Jean.

Ce repas funéraire en souvenir de Jean le Baptiste prend soudain une dimension prodigieuse : les disciples rompent le pain, tranchent les poissons et en distribuent les morceaux aux milliers de personnes venues pleurer Jean. Plus ils partagent, plus pains et poissons se multiplient. Quand tous sont rassasiés, il en reste encore douze paniers pleins. « Ils sont venus témoigner de leur amour pour mon parent, pense Jésus. Je n'allais pas les laisser repartir et affronter une marche éprouvante à jeun, sans une marque de reconnaissance. »

Ses disciples assistent en silence à la multiplication des pains et des poissons, émerveillés et confiants à la fois. Les aveugles voient, les paralysés marchent, les morts ressuscitent ! Rien ne paraît impossible à l'Élu. Lui-même ne mange pas. Il ne jeûne pas non plus, ce qui serait une marque d'orgueil, mais tout à la mémoire de Jean le Baptiste, il oublie de se nourrir.

– Mon bien-aimé Jean, mon Père te bénit pour m'avoir plongé dans les eaux du Jourdain ! dit-il debout face au tombeau du Baptiste.

Puis Jésus encourage la foule à pratiquer l'aumône au nom de Jean le Baptiste, à nourrir un affamé, à donner à boire à un assoiffé, à vêtir celui que le destin a dénudé.

– Il n'est pas né parmi les enfants des femmes un être plus grand que Jean le Baptiste ! déclare Jésus. Tout homme qui se souviendra de Jean le fera désormais par une offrande en son nom.

La foule se tait. Une phrase prononcée par Jean lors du baptême de Jésus traverse toutes les pensées : « Voici l'Agneau de Dieu, qui enlève le péché du monde ! » avait annoncé le Précurseur. La réponse de Jésus ne les quitte pas : « En vérité, je le suis ! »

Personne n'en doute, Jean le Baptiste se trouve désormais au Troisième ciel, son père Zacharie à sa droite et sa mère Élisabeth à sa gauche. Tous ceux qui se souviendront de Jean traverseront sans peine les trente vagues du fleuve de feu destiné à purifier les damnés. Pour ces justes emportés sur une barque d'or, la traversée du fleuve souterrain leur fera l'effet d'un bain de douceur dans un réjouissant cours d'eau. Puis ils rejoindront le troisième des Sept ciels, un paradis de figues, de dattes, de raisins, de pommes et de citrons où une multitude d'arbres fruitiers exhale des senteurs enivrantes de cannelle, de muscade, d'amomes et de lentisque.

À l'issue de l'éloge, Jésus choisit parmi ses disciples douze apôtres, douze comme les douze tribus d'Israël. Il choisit un par un les messagers qui porteront sa parole à travers le pays, à commencer par Simon-Pierre rencontré à Capharnaüm, son frère André, Jacques et Jean les fils de Zébédée, pêcheur de Tibériade et époux de la disciple Salomé, Philippe, Barthélemy, Thomas, Matthieu également appelé Lévi, Jacques fils d'Alphée et époux d'une fidèle nommée Marie, Thaddée nommé aussi Judas, Simon le Zélote et Judas l'Iscariote.

Douze messagers chargés d'une mission périlleuse, témoigner des prodiges accomplis par Jésus et porter sa parole à travers l'Empire romain et parfois plus loin encore. Un message d'autant plus risqué que ceux qui aiment l'arbre en refusent souvent le fruit, et ceux qui aiment ses fruits condamnent souvent l'arbre qui les a donnés.

7

Jésus prêtre du temple de Jérusalem

« Aussitôt, ils firent venir Jésus, le conduisirent dans le Temple et le désignèrent comme prêtre. »
(*Sur le sacerdoce du Christ*, 29)

Le vingt-deuxième prêtre

« Il est certes jeune en âge mais se distingue par sa parole et son action. »

(*Sur le sacerdoce du Christ*, 12)

Selon une coutume bien établie, les prêtres élus au temple de Jérusalem sont au nombre de vingt-deux. Lorsque l'un d'entre eux vient à disparaître, le collège des prêtres décide après maints débats – souvent virulents – de son remplacement. Une fois le successeur élu, son nom est inscrit au registre du Temple, avec les noms de son père et de sa mère.

L'exigence de pureté est essentielle dans le choix d'un nouveau prêtre. Certes, la personne pressentie doit appartenir à la tribu de Lévi. Sa famille doit être vertueuse, son ascendance sans adultère et lui-même irréprochable. Son corps comme son âme doivent être sans tache, sa connaissance de la Loi et des prophètes sans lacune.

Le collège de vingt-deux prêtres obéit à une symbolique fondamentale qui fait de chaque prêtre un élément indissociable d'un tout placé sous le regard de Dieu. Le Grand prêtre, le chef du Temple, le chef des semaines, le chef des jours, les gardiens du Temple, les anciens grands prêtres et ceux chargés à tour de rôle de servir le culte quotidien contribuent à la révélation de la volonté divine par l'accomplissement des rites, l'explication de la Loi ou par oracle. Tous détiennent une parcelle de la sacralité du Temple, mais seul le vingt-deuxième en détient la clé.

Vingt-deux prêtres ? D'abord parce que l'alphabet hébreu est constitué de vingt-deux lettres. Le nouveau venu remplaçant le disparu se retrouve inévitablement le vingt-deuxième. Telle la lettre *tav*, dernière lettre de l'alphabet, la responsabilité du nouveau prêtre est immense. Lettre de la « réalisation », la vingt-deuxième lettre, dernière marque du sceau divin, scelle l'ensemble de la Création selon le principe que le début s'enracine dans la fin, et la fin dans le début.

Ne fallut-il pas vingt-deux générations à l'humanité pour aller d'Adam à Abraham ? Vingt-deux prêtres aussi parce que la famille de Sadoq, le premier Grand prêtre du Temple nommé par Salomon – dont le clergé se réclame – comprenait vingt-deux princes tels les vingt-deux livres constituant le Livre saint. Enfin, la Jérusalem céleste décrite par les textes de la communauté de Qumrân prévoit dans chaque maison vingt-deux lits pour vingt-deux prêtres. Autant de motifs pour que l'élection du nouveau prêtre soit sujette à d'âpres discussions.

Habitués à des débats interminables, les prêtres parviennent rarement à se mettre facilement d'accord sur un candidat. Ils se contredisent avec obstination, s'opposent, se disputent et depuis plusieurs jours n'aboutissent à rien.

Soudain, l'un des prêtres se lève, inspiré.

– Nous nous perdons en palabres depuis trop longtemps ! s'exclame-t-il.

Surprise par le ton sans appel de cette déclaration, l'assemblée se tait. À l'évidence, il n'est pas sous l'emprise de la colère mais animé d'une inspiration sainte.

– Si nous ne parvenons pas à élire un nouveau prêtre, c'est sans doute que celui-ci doit être prédestiné par Dieu et non par nos propres avis. Ne cherchons pas à nous mettre d'accord, mais acceptons sans discussion celui qui sera proposé par Yahvé.

Habituellement, pour éviter les conflits d'idées et d'intérêts, la coutume du tirage au sort décide de la répartition des responsabilités des serviteurs du Temple. Expression suprême de la Vérité, l'Élection reflète la volonté divine. Un idéal de justice qui plane sur tous les esprits. Le prêtre leur demande d'accepter un nouveau candidat à l'aveuglette. Qu'ils renoncent à toute contradiction.

Ni querelle ni reproches ! Le vote doit être acquis avant même d'en connaître le bénéficiaire. Chacun peut jeter les dés à sa façon, mais seul Dieu décide de la manière dont ils tombent ! En proposant une élection sans dévoiler le nom du candidat au préalable, il instaure une nouvelle forme de tirage au sort. Si tous acceptent ce principe d'élection, c'est que Dieu l'aura décidé.

– Si tu connais quelqu'un méritant la dignité sacerdotale, dis-le-nous !

Les prêtres, séduits par cette suggestion, et convaincus que dans ces conditions le choix du nouveau prêtre reflétera la volonté divine, font le serment de ne pas s'opposer à l'élection du candidat proposé à la seule condition qu'il soit irréprochable.

– Dis-nous le nom de ton candidat ! exigent-ils avec fébrilité.

Le prêtre se tient au milieu du collège. Il a entendu le serment de ses compagnons et perçu la crainte et l'impatience qui les animent.

– Moi, avec l'aide de Yahvé, je vous propose Jésus, fils de Joseph. Personne autant que lui ne mérite de nous rejoindre dans la maison de Dieu.

Respectant leur engagement, la majorité des prêtres se rallie aussitôt à ce choix.

– Nous savons que tu t'exprimes en conscience, conviennent-ils.

– Certes Jésus n'a pas encore l'expérience de l'âge, mais sa parole et son action sont irréprochables, ajoute l'un d'entre eux.

Les autres éprouvent une immense inquiétude. Prisonniers de leur serment, ils cherchent des arguments incontestables pour rejeter cette proposition.

– Jésus n'appartient pas à la tribu de Lévi, mais à celle de Juda, comment pourrait-il prétendre à la dignité sacerdotale ? s'insurge le chef du Temple.

Les lévites, supposés descendre de Lévi, le troisième fils du patriarche Jacob, avaient reçu l'exclusivité du sacerdoce à l'issue de l'Exode d'Égypte. Les vingt-deux mille hommes de cette tribu ne reçurent aucun territoire lors du partage de la Terre promise entre les douze fils de Jacob, mais ils furent investis du devoir d'enseigner la Loi au peuple, de prendre soin des objets du culte et d'accomplir les cérémonies, les rites et les offrandes destinés à Yahvé. Tous se placent dans la lignée d'Aaron, frère de Moïse. Difficile donc de prétendre au sacerdoce sans au préalable appartenir à cette tribu qui mena jadis la libération des Hébreux du joug égyptien. À l'issue de l'Exode, la sainteté des premiers-nés fut transmise aux lévites sur ordre de Yahvé, afin de racheter le péché du Veau d'or qui souilla les Hébreux, comme le péché d'Adam et d'Ève souille l'humanité tout entière. L'obligation d'appartenir à la tribu de Lévi ne reflète donc pas un privilège de classe, mais une inquiétude quant à la légitimité du culte lui-même.

– Jésus n'appartient pas à notre tribu !

Les cris de contestation fusent. L'assemblée s'enflamme et les arguments s'opposent. Pourtant, le prêtre ne semble pas déstabilisé par ce rappel de la loi. Il ne doute pas qu'en cherchant l'aide de Dieu, la vérité se dévoilera.

– N'offensons pas le dieu d'Israël ! conseille-t-il.

– Si Yahvé lui a inspiré le choix de Jésus, c'est tout simplement parce que, d'une façon ou d'une autre, il est autant issu de la lignée de Lévi que de la tribu de Juda, conclut l'un des vingt-deux.

– Les circonstances de la venue au monde de Jésus sont encore un sujet de disputes pour nombre d'entre nous ! rappelle le chef des jours.

– Jésus n'est-il pas responsable par sa naissance du massacre des innocents de Bethléem ? ajoute l'un des gardiens du Temple. En réalité, c'est bien lui que cherchait Hérode !

– Tant de jeunes garçons morts à sa place ! s'indigne un autre. Cette ignominie souille son âme à jamais !

Comment un homme destiné à la prêtrise pourrait être entaché d'un tel crime ? Les circonstances de sa naissance font l'objet de virulentes controverses. Comment considérer Jésus irréprochable si sa propre venue au monde a été flétrie par des faits aussi graves que l'adultère de sa mère ou l'assassinat de jeunes enfants ?

– Apaise nos inquiétudes sur ce sujet, et apporte-nous la preuve de l'ascendance lévite de ton candidat. Alors nous te donnerons notre accord sur ton choix, propose le Grand prêtre.

Celui qui a proposé Jésus ne cherche pas l'affrontement. Il veut être un guide vers la vérité et non un contradicteur. Il ne relève pas l'allusion accusatrice au sujet du massacre de Bethléem. Tous savent bien que les enfants victimes de la cruauté d'Hérode ont rejoint le paradis accompagnés par une multitude d'anges.

L'appartenance à la famille de Lévi étant indispensable pour obtenir la charge de prêtre, il veut d'abord démontrer que Jésus appartient tout autant à la tribu de Lévi qu'à celle de Juda.

– Ne soyez pas inquiets de l'ascendance lévite de Jésus, commence-t-il. Avant de proposer son nom, j'ai poursuivi moi-même des recherches sur la généalogie de sa mère. Aux temps de l'exode de nos ancêtres, il y eut de nombreux mariages entre ceux de Juda et ceux de Lévi.

Attentif, le collège des prêtres apprécie la démarche de l'orateur. Il n'a donc pas proposé la candidature de Jésus sans avoir au préalable enquêté sur son ascendance. Un engagement qui les rassure. Chacun sait que les tribus de Siméon et de Lévi se sont mêlées à celle de Juda au point que leurs territoires n'étaient plus clairement délimités.

– Marie est issue des deux tribus à la fois, ajoute-t-il. Dans le sang de Marie coule le sang de Lévi comme celui de Juda.

Le collège entre aussitôt dans des discussions dont les prêtres seuls ont le secret. Les débats faisant office d'enquête, ils remontent la généalogie de Marie nom par nom jusqu'aux temps bénis de l'Exode. Ils en conviennent finalement, Marie appartient bien aux deux tribus à la fois. La légitimité lévite de Jésus ne fait donc plus obstacle à son sacerdoce. Mais dans la ferveur des discussions surgit de nouveau la question des circonstances de la grossesse de Marie et de la naissance de Jésus.

– Que Marie vienne nous expliquer en personne les conditions de sa grossesse ! décide le Grand prêtre.

Le prêtre, encouragé par sa première victoire, exige du collège qu'il s'engage à ne causer aucun mal à Marie.

– Quelle que soit l'explication que Marie nous apportera, qu'elle n'ait jamais à en souffrir. Que Marie témoigne sans peur et sans danger ! Je vous demande d'en faire le serment.

*

* *

Le souvenir de l'épreuve des eaux amères submerge Marie. Se retrouver à nouveau devant une assemblée d'hommes pour prouver son innocence lui déplaît profondément. Une fois encore, ils cherchent dans le ventre des mères la cause de l'impureté des hommes, se dit-elle. L'enseignement que prodigue son fils offre une place immense aux femmes. Ne le savent-ils pas ? Elles sont nombreuses à le suivre. À elles à qui la loi des hommes interdit d'étudier la Loi, Jésus offre le partage de la connaissance. Les disciples en sont déstabilisés, souvent furieux de l'affection et de l'intimité qu'elles partagent avec lui. Une femme peut-elle être initiée ? se demandent les disciples. Jésus a déjà répondu à cette question : « Toute femme qui se fera homme entrera dans le royaume de mon Père ! » Cette phrase étonnante recouvre une signification symbolique : dans l'autre monde, il ne sera pas nécessaire que l'homme soit homme et que la femme soit femme. Tous deux ne feront plus qu'un être de lumière. En fait, Jésus explique à ses disciples que dans le royaume de son Père, dans la vie éternelle, il n'y aura nul besoin de sexualité. Marie n'a-t-elle pas enfanté sur Terre sans l'intervention d'un homme ? La vie est passée par elle tel le souffle divin dans le Saint des Saints. Elle l'a affirmé alors, et se montre prête à le confirmer aujourd'hui.

De retour au temple de Jérusalem, Marie espère que les prêtres l'écouteront. Il y a une vingtaine d'années, elle était venue avec Joseph y retrouver Jésus lorsqu'il avait disparu. Enfant, il éblouissait déjà les docteurs de la Loi, les scribes et les prêtres, et elle ne veut pas devenir l'instrument de sa déchéance. Hors de question de fuir cette convocation ! Cette réaction aurait aussitôt exclu Jésus de la prêtrise, et cela, Marie ne le souhaite pas.

– Nous partageons tous la même opinion sur ton fils Jésus, déclare le Grand prêtre en accueillant Marie. Nous sommes prêts à l'accueillir au collège du Temple, mais nous devons encore clarifier les circonstances de sa naissance.

Pourtant Marie ne parvient pas à chasser de son esprit le récit de Suzanne, une femme pieuse et fidèle qui se trouva injustement accusée d'adultère par deux hommes qui la convoitaient. Menacée de lapidation, Suzanne ne fut sauvée que par le témoignage du prophète Daniel.

Ses accusateurs furent lapidés à sa place. « Mais qui viendra témoigner pour moi ? » se demande Marie. Elle se sent cernée par des regards réprobateurs. Cette nouvelle confrontation risque de lui être fatale. Si elle dit la vérité et confirme qu'elle n'a connu aucun homme et que le sceau de sa virginité marque toujours son corps – même après avoir accouché –, personne ici ne la croira. Si elle laisse planer un doute sur sa pureté, elle sera aussitôt accusée d'adultère. Joseph lui-même ne refusa-t-il pas de la croire ? Ne l'avait-il pas contrainte à l'épreuve des eaux amères ? Certes, une fois inspiré par un songe angélique, Joseph se remplit d'amour pour l'enfant à venir et de respect pour sa mère. Mais quel ange viendra éclairer le cœur de ces prêtres ?

– Ne sois pas inquiète, femme. Tu ne subiras ni jugement ni condamnation de notre part, promet le Grand prêtre. Nous n'avons pas l'intention de te juger.

Quelle que soit la gravité de l'action que Marie confessera, aucun blâme ne viendra commenter ses déclarations. Le collège des prêtres en a fait le serment, le seul point que les prêtres veulent voir éclairé est celui de la conception et de la naissance de Jésus. Le reste ne les intéresse plus.

Marie reprend son calme. Mais au souvenir de l'ange qui lui annonça sa grossesse, un vague à l'âme l'envahit.

– J'ai enfanté Jésus, personne ne le niera ! Personne ne me le reprochera !

Des larmes coulent mais sa voix reste ferme. Marie assure de nouveau ne pas avoir connu d'homme.

– Vierge j'étais alors, vierge je suis aujourd'hui ! Même après l'enfantement de Jésus, je suis prête à produire le sceau de ma virginité pour vous en convaincre.

Les prêtres n'hésitent pas. Ils doivent en avoir le cœur net. Des sages-femmes sont appelées pour examiner Marie en secret. La recherche méticuleuse et humiliante fouille son puits de vie à la recherche d'une preuve de son mensonge. Stupéfaites, elles constatent au contraire que Marie est bien vierge.

Incapable de dissimuler sa nervosité, le Grand prêtre s'approche de Marie.

– Tu ne mens pas. Cela a été constaté, convient-il. Rien ne s'oppose au sacerdoce de Jésus, si ce n'est l'absence du nom de son père dans le registre du Temple.

De scandaleuses, les circonstances de la naissance de Jésus deviennent étonnantes. Issu à la fois de Lévi et de Juda, Jésus incarne à lui seul le principe du règne de deux messies, l'un roi, l'autre prêtre. Il aurait donc reçu l'onction divine qui le désigne comme le Sauveur, le Rédempteur issu à la fois de David et de Joseph fils du patriarche Jacob, annonciateur de la fin des temps. À la fois terrestre et céleste, Jésus serait venu pour le Salut d'Israël. La rumeur populaire n'en doute pas, mais le Grand prêtre est tenu d'en vérifier tous les aspects. Il ne peut y avoir conception et enfantement sans père. Si la virginité de Marie a été constatée, son fils ne peut néanmoins être né de père inconnu.

– Jésus ne peut être inscrit au registre du Temple sans justification de sa généalogie, insiste le Grand prêtre. Dis-nous le nom du père de ton fils et nous pourrons alors l'inscrire comme le veut la coutume.

Marie ne reculera pas. Elle ne cherche plus à se défendre mais à dévoiler la vérité de sa grossesse. Les prêtres la prendront peut-être pour une folle, ou pire encore pour une possédée devenue le jouet de démons. Mais, pour la première fois, elle est décidée à dire toute la vérité. Elle ne risque aucun châtiment, si ce n'est celui de ne pas être crue. Quant au véritable père de Jésus, il se trouve à l'évidence hors d'atteinte.

Marie décrit en détail sa conversation avec l'ange Gabriel. Puis elle rappelle les échanges qu'elle eut avec Joseph et qui eurent raison de sa défiance. La peur change de côté. Marie prend de l'assurance, alors que ceux qui s'opposaient au sacerdoce de Jésus ressentent une frayeur envahir tout leur être.

– Celui que j'ai enfanté est le fils de nul autre que le dieu d'Israël. Jésus est mon enfant. Moi, sa mère, je suis vierge ! *Celui qui est* a choisi mon ventre pour mettre son fils au monde d'en bas. Voilà la vérité ! Je l'ai reçue de la bouche de l'ange Gabriel et je vous la transmets à mon tour.

Le collège des prêtres, autant émerveillé qu'effaré, reste silencieux quelques instants. La plupart d'entre eux ne croient pas un instant que Marie ait été fécondée par l'Esprit-Saint. Cette possibilité leur est inconcevable. Et ils ne croient pas non plus qu'une femme puisse se féconder elle-même ! Mais aucun mot ne vient au secours de leurs doutes. Leur foi prise au dépourvu, ils font venir Jésus, le mènent devant l'autel des holocaustes et le désignent comme prêtre.

– Adam n'est-il pas né de deux vierges, du souffle divin et de la Terre ? rappelle le Grand prêtre.

Il n'hésite plus et inscrit Jésus dans le registre du Temple : « Élu à l'unanimité du collège, prêtre Jésus, fils de Dieu et de Marie, la vierge. »

Un sujet néanmoins n'a pas été abordé par le collège des prêtres : la situation familiale de Jésus. Est-il marié ? A-t-il engendré des enfants ? Le Grand prêtre n'a pas abordé cette question pourtant essentielle à la charge sacerdotale. Peut-être que, tout simplement, la poser aurait été superflu. Le commandement divin est en effet sans appel : « Croissez et multipliez ! », une obligation quatre fois répétée dans la Genèse.

Personne n'a oublié le terrible affront fait à Joachim avant que sa femme stérile Anne n'enfante Marie. On l'avait tenu éloigné du Temple et empêché de présenter ses offrandes au sanctuaire. Et Zacharie, prêtre du temple, dont le couple était alors frappé de stérilité, n'avait-il pas subi les pires tourments avant d'engendrer le futur Jean le Baptiste ? Ne pas avoir de progéniture est un châtiment. C'est le terrible signe que le regard de Dieu s'est détourné. Celui qui n'a pas d'enfant peut être considéré comme mort. Tous les justes ont une descendance. Celui qui n'est pas marié et n'a pas engendré au moins deux garçons, ou bien un garçon et une fille, est un homme incomplet, inachevé. Il lui est impossible d'enseigner la Loi ou de procéder aux sacrifices rituels. Jésus n'échappe pas à cette règle.

L'union entre un homme et une femme détient le secret de la fondation du monde. Y renoncer, c'est rompre avec le Saint des Saints, le lieu le plus sacré du monde, la chambre nuptiale par excellence, le lit de l'Alliance entre Dieu et son peuple. Le mystère qui unit deux êtres est donc immense, car sans cette Alliance le monde n'existerait pas.

Alors qui est la femme de Jésus ? aurait pu demander le Grand prêtre. Les disciples ne se posent pas cette question. Bien au contraire, c'est la place privilégiée de Marie la

Magdaléenne dans l'intimité de Jésus qui les étonne. Trop de baisers, trop de chuchotements à leurs yeux : une femme ne peut être que source d'impureté pour un homme saint.

Celle que Jésus aime plus que tous

« Jésus embrassait souvent Marie de Magdala sur la bouche. »

(*Évangile de Philippe*, 55)

De nombreuses femmes suivent Jésus. Elles n'ont aucun droit de se trouver là, d'écouter son enseignement ni d'étudier la Loi ! estiment les apôtres. Pourtant, ces femmes donnent l'impression d'être les premiers témoins de la vie publique de Jésus. Pire encore ! « Que celui qui a des oreilles pour entendre entende ! » avait déclaré Jésus. Les oreilles n'ayant pas de sexe, les femmes écoutent désormais la parole et souvent s'expriment. La vérité n'est-elle pas une et multiple à la fois ?

Une pécheresse à laquelle il a pardonné ses péchés, une femme adultère ayant échappé à son châtiment, une autre libérée des démons qui l'habitaient, une jeune femme guérie de sa lèpre, toutes des femmes « sauvées » de leur féminité. Néanmoins, sans compter sa mère Marie, sept femmes à la féminité acceptable accompagnent Jésus au côté des apôtres. Marie, mère de l'apôtre Jacques, Marie de Béthanie et Marthe, filles d'Eléazar et sœurs de Lazare, Salomé, mère des apôtres Jean et Jacques fils de Zébédée, Suzanne, la femme de Chouza, intendant d'Hérode, Bérénice de Capharnaüm, dont Jésus guérit la perte ininterrompue de sang qui la rendait stérile, et Lia, la veuve venue du village de Naïm au sud de Nazareth, dont Jésus a ressuscité le fils. « Jeune homme, lève-toi ! » avait-il ordonné en touchant son cercueil. Le fils de Lia s'était relevé et remis à parler comme si de rien n'était. Et tel le prophète Élie qui ressuscita le fils d'une veuve à Sarepta, près de Tyr, Jésus rendit le fils à sa mère. Depuis, Lia a rejoint ses disciples pour suivre son enseignement.

Une huitième femme accompagne Jésus. Elle est féminine jusqu'à la pointe de ses longs cheveux ; sa beauté, son indépendance et surtout son intimité avec Jésus lui attirent les foudres des apôtres, en particulier de Pierre et de son frère André. Rebelle à la coutume, elle étudie, sait lire et écrire. Un comportement qui irrite les hommes et exerce à leurs yeux une mauvaise influence sur les femmes.

Marie vient de Magdala, une ville riche de son commerce de poissons, située sur les rives du lac de Galilée à mi-chemin de Capharnaüm et de Tibériade. La Magdaléenne n'est pas la première à confier son âme au Nazaréen, mais elle est la première à prendre son cœur. Jésus en convient sans hésiter : « L'enfer, c'est de ne pas aimer. » En fait, si l'union charnelle n'a pas sa place dans le royaume céleste, elle reste indispensable à perpétuation du monde d'ici-bas.

Les apôtres et les femmes autour de Jésus

« Simon-Pierre dit à Marie de Magdala de quitter les apôtres, car les femmes ne sont pas dignes de la vie. »

(*Évangile de Thomas*, 114)

Quand Ève faisait encore partie d'Adam, la mort n'existait pas. C'est quand elle naquit à ses côtés et de son côté que la mort surgit. Si la femme ne s'était pas séparée de l'homme, elle ne serait pas condamnée à mourir avec lui. L'homme et la femme doivent se retrouver pour vaincre la mort. Telle est la mission de Jésus : guérir cette déchirure, unir de nouveau l'homme et la femme afin qu'ils ne fassent plus qu'une personne entière. Il n'y aura plus d'homme ou de femme dans le royaume céleste, promet-il. Néanmoins, la perfection ici-bas réside bien dans le couple : deux qui ne font qu'un. Pour honorer le mariage céleste entre Dieu et son peuple, l'homme ne peut célébrer le mystère qu'en s'unissant à une femme.

À Salomé, qui demande jusqu'à quand la mort ravagera la Terre, Jésus répond : « Tant que les femmes enfanteront ! Tant que les vivants resteront exilés du jardin d'Éden, de ce paradis sur Terre où n'existent ni la mort, ni la nécessité d'enfanter. » Puis il ajoute devant son air interloqué : « Quand l'homme et la femme ne feront plus qu'un, le masculin uni au féminin, il n'y aura plus ni homme ni femme, ni mâle ni femelle. » Salomé en conclut hâtivement qu'elle a bien fait de ne pas enfanter. « Tu te trompes, Salomé. Tu peux manger de toutes les herbes sauf de l'arbre interdit du jardin d'Éden. » En fait, Jésus encourage à respecter le commandement divin « croissez et multipliez », tout en indiquant que l'acte sexuel n'est nécessaire que hors du monde céleste ! Une ambiguïté qui déstabilise les apôtres et trouble les femmes.

– Le péché n'existe pas ! C'est vous qui le faites exister. Tout est pur pour celui qui est pur, explique la Magdaléenne d'une voix douce, répondant ainsi aux rumeurs qui la décrivent comme une pécheresse ou une possédée.

La chambre nuptiale est en effet le lieu d'une étreinte charnelle et spirituelle. L'Esprit-Saint ne la quitte pas. Bien au contraire, sa présence élève l'étreinte au-dessus de tout. Dépouillés de leurs vêtements, l'homme et la femme qui s'unissent dans la sainteté participent à l'édification du monde. Les disciples le ressentent au plus profond de leur foi : Jésus aime Marie de Magdala plus que quiconque.

– Jésus embrasse souvent la Magdaléenne sur la bouche, rapporte un Samaritain, inquiet de leur intimité.

Ces baisers déconcertent les disciples. Au-delà de l'union charnelle qu'ils annoncent, ce partage du souffle divin leur inspire des sentiments mitigés. Initiée ou amante ? Ils n'osent trancher.

– Nous savons que tu aimes la Magdaléenne différemment des autres femmes, conviennent-ils. Tu l'aimes sans doute davantage que tous tes disciples !

La compagnie de Marie dérange les apôtres. Les disciples de Jésus n'apprécient pas la relation privilégiée que leur maître entretient avec cette femme qui le suit, le côtoie et chuchote à son oreille. Sa présence est un voile qui les sépare de Jésus, comme le voile du Temple sépare le sanctuaire du Saint des Saints.

– Pourquoi l'aimes-tu plus que nous ? insiste un disciple.

Jésus, apparemment exaspéré par ces reproches, répond sans attendre.

– Demandez-vous plutôt pourquoi je ne vous aime pas autant qu'elle !

Entre jalousie et incompréhension, les disciples s'interrogent. Celui qui naît d'une femme ne peut que mourir ! pensent-ils, incrédules. Pourquoi donner tant d'importance à cette fille d'Ève ?

Simon-Pierre, le pêcheur de Capharnaüm, est le plus virulent. Selon lui, les femmes doivent être éloignées comme les hommes frappés d'impureté, les infirmes et les eunuques.

– Marie de Magdala doit partir ! Que toutes les femmes qui te suivent s'en aillent aussi. Elles ne sont pas dignes de la vie !

– Nous ne la supportons plus ! Elle te questionne sans cesse et nous fait taire ! ajoute son frère André.

Les disciples ne s'inquiètent pas seulement de l'intérêt de Jésus pour la Magdaléenne. Ils ne réagissent pas seulement par simple jalousie, ni même par méfiance envers la capacité des femmes à polluer l'âme des hommes. Ils craignent davantage la place grandissante que Marie de Magdala prend dans l'enseignement de Jésus. Elle est sa confidente, parle comme lui et diffuse sa pensée ! Est-elle une initiée, se demandent-ils, ou est-elle sa femme comme il le dit parfois ?

– Est-il possible que tu t'entretiennes avec Marie de Magdala de secrets que nous ignorons ? Devons-nous changer nos habitudes et écouter cette femme ? demande Simon-Pierre.

« La préfère-t-il vraiment à nous ? » Un soupçon plus qu'une interrogation qui met les apôtres mal à l'aise. Lévi s'emporte à son tour, contrarié par l'acharnement de Pierre contre la Magdaléenne.

– Tu es coléreux, Pierre ! Tu l'as toujours été. Tu t'en prends à une femme comme le font ceux qui s'en prennent à nous. Si Jésus l'a rendue digne de son enseignement, qui es-tu pour la repousser ?

La réponse de Jésus ne calme pas les craintes de ses disciples.

– Laissez Marie en paix ! déclare Jésus. Et toi, Pierre, écoute-moi ! Je la guiderai vers sa plénitude. Le souffle l'habitera et elle aussi aura accès au royaume céleste.

Aussitôt, l'inquiétude grandit dans le cœur de Pierre. Et si cette femme était indispensable au grand dessein divin pour sa Création ? Serait-elle chargée d'accoucher la vérité dans ce monde ?

– L'âme qui dépend de la chair est malheureuse ! La chair est tout autant malheureuse si elle dépend de l'âme, explique Jésus.

Pierre et André baissent les yeux pour éviter le regard caressant de Marie. Ils ont écouté leur maître, mais ne veulent pas le comprendre.

– Ne dépendez ni de l'une ni de l'autre, poursuit Jésus. Les plaisirs de la chair ne sont pas opposés aux plaisirs de l'âme.

Sur ces mots, Marie de Magdala se lève et embrasse les disciples, tournant leur cœur vers le bien. Eux qui sont pétris de peine et de doutes, elle les rassure, leur apporte autant d'amour et d'affection que Jésus le fait pour elle.

– Soyons entièrement humains, masculin et féminin à la fois, dit-elle.

Une promesse de réunification qui prend soudain tout son sens pour Lévi. Jésus ne désigne-t-il pas sa compagne comme « sa » femme ? L'amour de l'autre jusqu'à ne faire qu'un est l'arme ultime contre la mort. Réunir l'homme et la femme pour ne plus faire qu'un, c'est revenir à l'androgyne originel, avant la séparation d'Ève d'avec Adam, au temps où la mort n'existait pas !

– Préparons-nous à devenir ce que nous sommes vraiment, confirme Marie.

8

La réputation de Jésus traverse les frontières

« J'ai entendu parler de toi et de tes guérisons…
C'est pourquoi je t'écris pour que tu viennes me voir
et me guérir du mal dont je suis atteint. »
(Eusèbe, « Lettre d'Abgar, roi d'Édesse à Jésus »,
Histoire ecclésiastique 1, XIII.)

La parole voyage plus vite que le vent

« Voici Notre miroir, ouvrez les yeux
et découvrez-vous en Lui. »

(*Odes de Salomon*, 13)

La diaspora juive est la plus importante de l'Empire romain. Un habitant sur dix vient de Judée, de Galilée ou de Samarie. La moitié des Alexandrins est issue des enfants d'Israël. À Rome, le vaste *Trans Tiberim* qui embrasse l'île Tiberim, le Janicule et le Vatican, accueille une bonne partie de la population juive. Le *Trastevere*, habité par environ cinquante mille Juifs affranchis, délivre avec les marchandises du port tout proche les récits concernant Jésus.

La bonne nouvelle circule vite, trop vite au goût des autorités romaines. Un homme à la naissance étonnante accomplirait des prodiges, guérirait les lépreux et ressusciterait les morts. Le Sauveur annoncé par les prophètes d'Israël est venu, annoncent les « messianisants », ces fauteurs de troubles qui provoquent l'inquiétude de Tibère. Le temps de la confrontation des coutumes est venu. D'un côté l'*Iliade* et l'*Odyssée* d'Homère, récits fondateur de la pensée grecque et romaine, de l'autre le Pentateuque, les cinq livres attribués à Moïse avec sa Loi. Comme pour confirmer le temps des cataclysmes, de terribles séismes ébranlent l'Orient de la grande mer. Sécheresse et tremblements de terre frappent la Judée. L'effroi se répand dans les deux camps. Âme contre âme, le duel entre les fils de la lumière et les fils des ténèbres a commencé. Le royaume de Dieu est tout proche. Prodige après prodige, Jésus se retrouve au centre de cette guerre cosmique.

De nombreux récits à son sujet traversent les frontières. Si les enfants d'Israël voient dans Jésus un nouveau Moïse, un libérateur descendant de David et de Salomon, les païens font de Marie la nouvelle déesse guérisseuse Artémis et de Jésus le nouvel Esculape, fils d'Apollon.

Les deux femmes et l'enfant

« Deux femmes mariées au même homme avaient chacune un fils malade. »

(*Évangile en arabe de l'enfance*, 29)

L'un des récits qui nourrit encore l'espoir de justice des asservis met en scène le fameux jugement du roi Salomon, lequel dut trancher entre deux femmes réclamant le même enfant. Toutes deux habitaient la même maison. Trois jours après l'accouchement de la première, la seconde mit aussi au monde un garçon. Mais, expliqua la première femme, l'autre mère avait involontairement étouffé son nouveau-né en se couchant sur lui durant la nuit. Un drame insurmontable. Effondrée, cette malheureuse subtilisa alors le bébé vivant en laissant dans le lit de la première femme son pauvre enfant mort. Au petit matin, alors que la mère de l'enfant vivant s'apprêtait à l'allaiter, elle découvrit le corps inerte et se rendit aussitôt compte de la substitution. L'autre femme nia sans faiblesse cette version de la tragédie. « Ce n'est pas vrai ! Mon fils est celui qui est vivant et son fils celui qui est mort ! » Aveuglées par une douleur insupportable, les deux mères étaient prêtes à s'étriper. La mère de l'enfant défunt ne voulait pas concéder une vérité qui la condamnerait. Comprenant alors qu'aucune des mères ne renoncerait d'elle-même à l'enfant, le roi Salomon saisit son épée, proposa de couper l'enfant en deux et d'en donner une partie à chacune des femmes. Aussitôt, la véritable mère de l'enfant se jeta à ses pieds et lui demanda d'épargner son fils. « Qu'on lui donne l'enfant, mais qu'on ne le tue pas ! » supplia-t-elle. C'est ainsi que Salomon identifia la véritable mère, celle qui préférait confier le fruit de ses entrailles à sa rivale plutôt que de le voir pourfendu. Et il lui rendit le nouveau-né… Ce jugement fit le tour du royaume d'Israël, démontrant que son roi avait bien été inspiré de la sagesse divine indispensable pour rendre la justice.

Aujourd'hui, un nouveau récit circule, qui met en scène deux femmes mariées à un même homme, se disputant la maternité d'un fils. Jésus y remplace Salomon.

Deux femmes se déchirent. Chacune a un fils malade. L'une des mères rencontre Marie et lui offre une nappe brodée en échange d'un linge ayant enveloppé Jésus. De retour chez elle, la femme confectionne une chemise avec l'étoffe offerte par Marie et en revêt son fils Cléophas. Aussitôt, son enfant guérit, tandis que celui de l'autre femme expire. Folle de douleur et de jalousie, la mère en deuil, furieuse que son fils n'ait pas survécu alors que Cléophas est en vie, profite d'un instant où elle se trouve seule pour s'emparer de l'enfant de sa rivale et le jeter dans un four embrasé. Quand la mère de Cléophas revient quelques minutes plus tard pour mettre le pain à cuire, elle découvre avec horreur son enfant au milieu des flammes. Mais Cléophas n'a pas été réduit en cendres. Au contraire, il s'amuse des flammes et accueille sa mère en riant. Le four incandescent est resté froid ! Un mystère que la mère ne s'explique pas. Elle ne soupçonne pas encore la haine que lui voue sa rivale et va simplement raconter à Marie la survie miraculeuse de son fils.

– Ne dis mot à personne de ce prodige, conseille Marie. Cela pourrait t'attirer l'animosité des villageois.

Quelques jours plus tard, l'autre mère surprend Cléophas jouant près du puits. Sans hésiter une seconde, elle saisit l'enfant et le jette dans l'étroit conduit. Il se noiera ou mourra d'épuisement en tentant de remonter à la surface, espère-t-elle. Cette fois, c'est certain, le fils de sa rivale rejoindra le sien dans le monde souterrain ! Quelle n'est pas la surprise des villageois quand, venus puiser de l'eau, ils découvrent le bambin assis dans l'eau, jouant tranquillement dans la pénombre ?

Terrorisée, la mère de Cléophas réalise que sa rivale est l'instigatrice de ces étranges complots contre la vie de son fils. L'autre femme la poursuit de sa jalousie. Que vaut en effet une épouse sans enfant ? Peu de chose aux yeux de son mari ! Le fils perdu annonce sa répudiation prochaine. Dès lors cette rivale n'aura de cesse que leur sort soit lié et fera tout pour que la mère de Cléophas se trouve dans la même situation qu'elle.

– Un jour, elle parviendra à tuer mon enfant, redoute la mère de Cléophas.

– Cette femme sera punie pour le mal qu'elle fait ! dit Marie pour la consoler.

Le châtiment vient sans attendre. Alors que la rivale puise de l'eau, ses pieds s'emmêlent dans la corde, elle perd l'équilibre, s'affole, tombe dans le puits et se fracasse la tête. Méfiez-vous de ne pas tomber dans la fosse que vous avez creusée ! La menace est claire, et le prodige crédible. Les méchants seront punis et les innocents sauvés. Le contact d'un linge porté par Jésus suffit pour que sa volonté soit faite.

À travers l'Empire, ce récit annonce que Jésus est bien l'Élu issu de l'arbre de Jessé. La dynastie de David éclairée par l'onction divine serait donc toujours vivante. L'espoir d'une libération prochaine vivifiée, nombre de Juifs en concluent que si Salomon l'édificateur du Temple reste le modèle du roi juste, Jésus annonce le retour à la justice.

Jésus guérit à distance

« Couvre ton fils des vêtements de Jésus. »

(*Évangile en arabe de l'enfance*, 30)

Plus surprenante encore est cette nouvelle qu'il n'est pas indispensable de rencontrer Jésus en personne pour guérir d'un mal. Un linge qui l'aurait touché ou un objet qui lui aurait appartenu suffit à accomplir sa volonté. Les apôtres portent une étincelle de son pouvoir. Bientôt, Pierre guérit à son tour. Jean ramène des cadavres à la vie. André guérit des infirmes, aveugles et paralytiques, Thomas ressuscite un homme mordu par un serpent et une femme tuée par son mari.

Sauver les enfants qui souffrent reste la préoccupation première des mères. Les récits chantant les louanges de Marie, devenue guérisseuse pour avoir porté Jésus, se multiplient. Telle l'histoire de cette mère désespérée qui supplie Marie de lui venir en aide : elle n'a qu'un vœu, guérir son enfant condamné à subir le sort fatal qui frappa son frère jumeau.

– J'avais deux fils, l'un vient de mourir, l'autre, Barthélemy, est sur le point de trépasser, je n'ai plus d'autre espoir que ta compassion, avoue-t-elle en larmes.

Marie n'hésite pas un instant. La douleur d'une mère lui est insoutenable.

– Prends ton enfant et place-le sur le lit de Jésus.

À peine couché, l'enfant ferme les yeux et expire.

– Mettons-lui les vêtements de Jésus ! Ne perdons pas de temps !

La mère en pleurs habille précipitamment le corps inerte de son fils. Le parfum de Jésus, qui imprègne ses vêtements, s'élève du lit jusqu'à envahir toute la pièce. Soudain, dans une grande inspiration, le jeune garçon ouvre les yeux, se redresse brusquement et appelle sa mère.

– J'ai faim ! lance Barthélemy d'une voix joyeuse.

Sa mère émerveillée lui donne aussitôt du pain, puis se tourne vers Marie pleine de reconnaissance.

– Ton fils Jésus guérit par le seul contact de ses vêtements ! dit-elle stupéfaite. La puissance de Yahvé est descendue en lui.

La mort est vaincue ! La bonne nouvelle traverse l'Euphrate, rendant espoir à tous ceux qui souffrent, à commencer par le roi arabe d'Édesse consumé par un mal terrible et incurable.

Le roi Abgar écrit à Jésus

« Dès qu'Abgar connut la célébrité du nom de Jésus
et son pouvoir attesté d'une voix unanime,
il écrivit une lettre à l'intention de Jésus. »

(Eusèbe, *Histoire ecclésiastique*, 1, XIII)

Frappé par une lèpre impitoyable, Abgar V Ukhâma souffre d'une lente et irrésistible agonie. Lui qui règne sur Édesse, l'ancienne Ur, au-delà de l'Euphrate berceau du patriarche Abraham, n'a pas été écouté par les dieux. La déesse Atargatis et le dieu Hadad n'ont rien pu pour lui. Les miraculeuses sources curatives d'Édesse ne l'ont pas guéri. À peine ont-elles soulagé ses souffrances.

La chair du visage meurtrie, le roi Abgar n'est plus que l'ombre de lui-même. Son apparence horrible lui interdit de se présenter devant son peuple. Prisonnier dans son palais, prisonnier de ce corps qui le trahit, l'âme émiettée, le roi se réduit à un cadavre vivant, puant et repoussant. Ses rares instants de vie surgissent avec les cris des chameliers qui font étape à Édesse, transportant vers la Chine baumes, encens, myrrhe, épices rares, pierres précieuses et étoffes pourpres venus de l'occident du monde, de Tyr, de Byblos et de Sidon. Les beautés de la vie bouillonnent derrière les murs de son palais, mais Abgar le Noir n'y a plus accès. Pas encore dans l'autre monde mais déjà plus dans celui-ci, il tend l'oreille aux propos des caravaniers, mendiant un peu d'espoir. Les récits relatant les prodiges accomplis par un prophète de Judée animent régulièrement les discussions. Il ne passe plus un jour sans qu'une nouvelle étonnante concernant Jésus vienne éclairer son cœur. Un matin, Abgar se décide. Il veut rencontrer le prophète de Galilée en personne. Mais comment abandonner Édesse alors qu'il est si faible ? Il choisit alors de lui écrire et de l'inviter dans son royaume. Ananias, un homme de confiance, portera sa lettre à Jérusalem.

« J'ai entendu parler de toi et de tes guérisons. J'ai appris que tu les accomplis sans remèdes ni herbes. Un geste, une parole de toi suffisent à sauver les désespérés. Il m'a été rapporté que tu rends la vue aux aveugles et fais marcher boiteux et paralytiques, que tu soignes les lépreux, que tu chasses les esprits impurs et les démons, que tu délivres ceux qui sont tourmentés par de longues maladies et que tu ressuscites les morts. Après avoir entendu tout cela de toi, je suis convaincu que de deux choses l'une : ou bien tu es Dieu et, descendu du Ciel, tu réalises ces merveilles ; ou bien tu es le Fils de Dieu, et tu les accomplis. Voilà pourquoi je t'écris aujourd'hui pour te prier de te donner la peine de venir chez moi et de me guérir du mal que j'ai… »

Cette supplique rédigée par le roi d'Édesse est dûment remise à Jésus par le messager Ananias. Inspirée par un faible rayon de la clarté divine, elle reçoit une réponse.

Mais une réponse brève et pleine de compassion qui déçoit Ananias.

« Sois bienheureux, puisque tu crois en moi sans m'avoir rencontré. Ceux qui m'ont vu ne croient pas toujours en moi, afin que ceux qui ne m'ont pas vu croient et vivent. Nul n'est prophète en son pays. Nul n'est médecin dans sa maison. Tu me demandes d'aller chez toi, mais il me faut d'abord accomplir ici le dessein de mon Père et remonter ensuite vers Lui. Après mon ascension, l'un de mes disciples te rendra visite et guérira ton mal. Il donnera la vie, à toi et à tous ceux qui sont avec toi. »

Ananias espérait que Jésus le suivrait à Édesse et qu'il verrait bientôt son roi guéri. Mais ce ne sera pas le cas. Attristé par sa réponse, il accompagne tout de même Jésus et ses disciples chez un pharisien qui les a invités. Peut-être espère-t-il encore que le prophète se ravisera ? Durant le dîner, Ananias s'installe discrètement dans une autre pièce de la maison et, l'observant à travers une fenêtre, dresse le portrait de Jésus. Certains rapportent qu'à la demande de ce dernier, il se serait contenté de poser un linge sur son visage, imprégnant ses traits sur la toile. Certes, il ne ramènera pas Jésus au palais d'Abgar, mais, il n'en doute pas, la missive de Jésus et son image éclaireront son roi d'une clarté divine. « Rien n'est perdu, se dit alors Ananias. Abgar résistera le temps nécessaire. Quand Jésus aura accompli son destin et sera retourné au Ciel, l'un de ses disciples viendra à Édesse pour guérir mon roi. » Et c'est ce qui arriva.

Pourtant, quand l'apôtre Thaddée se rend au palais quelques années plus tard pour accomplir la promesse de son maître, Abgar est déjà guéri. Le linge plié en quatre conservant l'empreinte du visage de Jésus l'a aussitôt sauvé de la lèpre. Il est même devenu l'objet d'une adoration populaire.

9

À Béthanie, entre résurrections et initiations

« Rendez à César ce qui est à César.
Rendez à Dieu ce qui est à Dieu.
Ce qui est mien, rendez-le-moi ! »
(*Évangile de Philippe*, 100)

Le réveil de Lazare

« Il a ressuscité Lazare, qui était mort depuis quatre jours, et il l'a fait sortir du sépulcre. »

(*Évangile de Nicomède*, VIII)

Jésus garde tant d'agréables souvenirs de Béthanie qu'il y retourne chaque fois qu'un événement important le bouleverse. Enfant, il y passa des mois heureux en compagnie de son ami Lazare et de ses sœurs Marie et Marthe. C'est dans leur maison qu'il s'était amusé à marcher sur un rayon de soleil, à la stupéfaction des voisins. C'est là aussi, sur cette douce pente du mont des Oliviers, qu'il revient après l'accueil émouvant que lui a réservé la population de Jérusalem.

Qui peut oublier les cris de la foule en liesse ? « Hosanna ! Hosanna ! » scandaient pèlerins et Hiérosolymitains, alors qu'il entrait dans la cité de la Paix, juché sur le dernier ânon de la lignée qui servit le devin Balaam. Un souvenir exaltant ! Le cycle de la prophétie s'accomplissait enfin à travers lui. Le devin était dans tous les esprits, lui qui annonça jadis le lever d'un astre sur Jacob et d'un sceptre sur Israël, l'avènement du roi David et la promesse de la venue du Sauveur. Et voilà Jésus entrant dans la Cité sainte, décidé à célébrer la fête de la récolte, à appeler la pluie bienfaisante qui baptise le monde, et à revivre la fin de l'Exode des Hébreux dans le désert.

« De grâce, sauve-nous ! » lancent les Hiérosolymitains étendant leurs manteaux sur son chemin. Ils le comprennent, il n'y aura pas de nouveau prophète : Jésus est l'Élu !

Est-ce la ferveur de la fête de Soukkot ? Quoi qu'il en soit, armé d'un bouquet de branches de palme, de saule et de myrte, Jésus en colère renverse les échoppes de ces marchands qui font circuler des monnaies impies sur le parvis du Temple, des pièces ornées d'images interdites, du visage de César, d'effigies d'animaux, d'aigle ou de sanglier ! Comment acheter des colombes destinées aux offrandes d'expiation des plus modestes avec des monnaies impures ? Des centaines de zélotes, des rigoristes et des esséniens* l'acclamaient. Eux vont jusqu'à refuser de tenir ces pièces de monnaie et à faire du commerce avec des étrangers. Aucune effigie ne peut être portée, regardée ou utilisée ! Alors pas question non plus de payer les taxes réclamées par César. L'irruption de Jésus dans Jérusalem soulève un vent d'espoir chez les enfants d'Israël et une inquiétude chez les autorités romaines. Plus rien ne sera comme avant, réalise Jésus.

Conscient d'avoir scellé son sort, un sauveur pour les uns, un fauteur de troubles pour les autres, c'est à Béthanie, son havre de paix dans ce monde en chaos, qu'il retourne, accompagné de ses douze disciples.

C'est encore à Béthanie, lors d'un repas de Pâque dans la maison du pharisien Simon, que Marie de Magdala brise un flacon d'albâtre et verse sur la tête de Jésus son contenu de nard pur. Trois cents deniers, une fortune dépensée outrageusement selon les apôtres, à peine une goutte de son amour selon Marie. Puis, insolente, la Magdaléenne s'agenouille devant lui, couvrant ses pieds de larmes et de baisers. Effrontée, elle le caresse de ses longs cheveux noirs, dispersant à travers la pièce le précieux parfum. Devant tant d'intimité, trop de sensualité, les autres disciples se sentent offensés. L'érotisme de la scène les met mal à l'aise. À l'évidence, la relation de Marie avec Jésus n'est pas seulement charnelle, elle est aussi spirituelle. L'huile parfumée versée sur son corps n'annonce-t-elle pas celle qui l'enveloppera après sa crucifixion ? La sexualité et la mort. Comment vaincre la seconde sans accepter la première ? C'est d'ailleurs à Béthanie que se posera à deux reprises la question de la résurrection, mais avec deux réponses différentes.

*
* *

La triste nouvelle venue de Béthanie rejoint Jésus sur la rive orientale du Jourdain. Désespérées, Marie et sa sœur Marthe appellent leur ami d'enfance au secours : leur frère Lazare s'est éteint. « Il est trop jeune pour rejoindre le pays de l'ouest ! se plaint sa famille. Ses jours ne s'étaient pas encore tous écoulés. C'est l'ange de la mort affamé qui l'a saisi pour le dévorer vivant. Cette injustice doit être réparée ! »

La nouvelle de la mort de Lazare peine Jésus au point qu'il ralentit le pas et n'arrive à Béthanie que quelques jours plus tard. Malgré les risques qu'il encourt à quitter la Galilée pour la Judée qui pullule de légionnaires, son disciple Thomas, celui que l'on surnomme « le jumeau », l'a accompagné et a convaincu les apôtres de les suivre. Il veut voir de ses yeux l'étendue du pouvoir de Jésus sur la mort. Et il lui faut des témoins.

À Béthanie, les oliviers sont en deuil. Les filles d'Éléazar, bouleversées, pleurent leur jeune frère. Le compagnon de jeux de Lazare est le seul capable de le sauver. Elles se souviennent de l'enfant d'un des artisans qui travaillaient avec Joseph. Le petit garçon tombé malade n'avait pas tardé à cesser de vivre. Jésus, touché par les larmes de sa mère, avait simplement touché la poitrine de l'enfant en lui ordonnant de ne pas mourir. Et aussitôt l'enfant s'était relevé en riant. C'est tout ce qu'elles espèrent de Jésus. Qu'il ramène leur frère du monde souterrain ! Rien de plus.

– Si tu avais été ici, avec nous, Lazare n'aurait pas été emporté dans la mort, lui reproche Marthe à son arrivée.

– Me crois-tu capable de ressusciter les morts ? demande Jésus.

Marthe, appuyée sur sa sœur Marie, le contemple pleine d'espoir. Elle l'a vu marcher sur un rayon de soleil. C'était il y a une trentaine d'années, mais elle n'oubliera jamais ce prodige. « Celui qui marche dans la lumière ne trébuche pas ! » lui avait-il dit en riant alors qu'il grimpait vers l'angle du toit. Aujourd'hui, c'est leur frère Lazare que Jésus veut ramener des ténèbres.

Béthanie ne signifie-t-il pas *beth ananiyyah*, « La maison où Yahvé a eu pitié » ? Un nom en forme de promesse qui renforce l'espoir de Marthe et de Marie. Cette fois encore, Dieu sera miséricordieux, il viendra au secours de leur frère. Elles n'en doutent pas.

– Lazare repose, mais je vais le réveiller, promet-il.

Quatre jours sont déjà passés depuis sa mort. La famille de Lazare doute que la vie puisse revenir dans son corps après tant de temps. En effet, l'âme quitte définitivement son enveloppe charnelle le troisième jour. Le corps commence alors sa lente décomposition.

Parce qu'elle est convaincue du pouvoir de Jésus, Marie le charge de reproches.

– Pourquoi es-tu venu si tard ? Nous t'avons averti dès que Lazare est tombé malade, puis de nouveau quand il a rendu l'âme, et tu as mis quatre jours à rejoindre Béthanie !

Elle se tord les mains jusqu'à se faire mal. « Les défunts sont plus sages que les vivants, se dit-elle. Eux au moins prennent leur mal en patience. »

– Il est peut-être trop tard pour sauver mon frère !

Visiblement éprouvé, Jésus ne réagit pas à ces lamentations. Il ne pense qu'aux moments de bonheur qu'il a vécus dans leur maison. Une rare parenthèse d'insouciance dans un monde chaotique. Une parenthèse qu'il est décidé à rouvrir. Lazare ne doit pas mourir ! Il n'abandonnera pas son seul ami d'enfance à l'ange des ténèbres !

Jésus se présente devant le tombeau de Lazare. Il se recueille quelques instants, puis demande à Thomas de déplacer la pierre qui le ferme. Elle roule dans un crissement d'outre-tombe. Un vent froid s'échappe de la caverne et traverse la colline à la hâte. Marthe et Marie ramènent leurs manteaux sur leurs têtes. Quelques oiseaux s'éloignent à tire-d'aile. Puis c'est le silence. Jésus fait un pas vers l'entrée du tombeau et appelle son ami d'une voix ferme. Comme s'il s'adressait au petit garçon de son enfance qui jouait à cache-cache, il le rappelle à l'ordre.

– Lazare, viens dehors !

Lazare a été emmené au pays de l'ouest, ce lieu ténébreux d'où le soleil est absent. Sans vigueur, il y écoule une après-vie morne et dénuée d'espérance. Certes, dans les premiers instants de son passage vers l'autre monde, il avait encore l'énergie de prier et d'appeler Jésus au secours. Mais une fois dans le monde souterrain, prier le Dieu de la vie est interdit. C'est pourquoi l'appel de Jésus y fait l'effet d'un coup de tonnerre. Les eaux primordiales qui entourent le pays sans soleil grondent. Il semble qu'un torrent s'apprête à déferler sur la terre d'en haut. Les apôtres effrayés font un pas en arrière, excepté Thomas qui s'approche pour tenter d'apercevoir cet espace dont Dieu est absent.

À cet instant, la montagne semble tourner sur elle-même. Ou bien ce sont les nuages qui tourbillonnent. Lazare, le pas hésitant, sort de son tombeau. Enveloppé de bandelettes et la face dissimulée par un suaire, il marche vers Jésus devant ses sœurs ébahies.

– Déliez-le et laissez-le aller ! ordonne Jésus.

Lazare avance jusqu'à Jésus qui se tient debout, immobile devant la porte de son tombeau.

– Sois béni ! Tu as fait trembler par ta voix le monde souterrain ! Ton appel a été entendu par toutes les générations jusqu'à Adam, dit Lazare. Tous ceux qui tremblent de froid dans le séjour des morts savent maintenant qu'ils reverront la lumière !

Lazare ressuscité ! Ses sœurs le couvrent de baisers. La foule pousse des cris de joie. Comme des abeilles sur un rayon de miel, ils sont de plus en plus nombreux à gravir la montagne. « Les os de Lazare se détachaient déjà, ses yeux se creusaient et sa chair se flétrissait, pourtant Jésus l'a ramené de la mort ! » se disent-ils.

Un prodige de plus qui provoque la fureur du gardien des enfers et de Satan en personne. La rumeur populaire prétend que le Prince de la mort craint la venue prochaine de Jésus dans son royaume souterrain. Le Dieu de la vie aurait raison du Shéol.

– Qui est donc ce Jésus qui t'effraye tant ? Est-ce celui-là qui m'arracha Lazare alors que je le détenais déjà depuis quatre jours ? s'inquiète le geôlier des défunts, furieux de voir nombre de ceux qu'il retient dans les ténèbres lui échapper.

– C'est ce même Jésus, répond Satan laconique. Les hommes annoncent déjà ta disparition, ajoute l'ange déchu.

Le gardien des enfers, épouvanté, supplie l'ange des ténèbres.

– Je t'en conjure, n'emmène pas Jésus vers moi ! Nous n'avons pu retenir Lazare. Si Jésus vient ici, il délivrera tous ceux que je retiens et les conduira vers la vie éternelle !

La nouvelle se répand. La mort de la mort se profile sur le mont des Oliviers. Les défunts ne sont plus réduits au silence ! Alors comme pour conforter ceux qui douteraient encore, Jésus ressuscite un autre jeune homme à Béthanie. Mais cette fois, les circonstances sont différentes et vont provoquer des interprétations et des commentaires étonnants. Il ne s'agit plus de vivre le plus longtemps possible, ni de perpétuer les traditions des pères, mais de faire entrer le royaume d'en haut dans le monde d'en bas. Les prophètes, Ézéchiel puis Daniel, avaient promis la renaissance du peuple. Cette perspective-là ne paraît plus suffisante. Chacun veut que sa résurrection soit garantie. Il ne s'agit plus de bénéficier d'un prodige, mais d'être détenteur de sa parcelle personnelle de vie éternelle. Si Jésus a rendu la vie à Lazare sans contrepartie, cette nouvelle résurrection à Béthanie s'associera donc à un rite d'initiation.

L'initiation magique

« Le jeune homme, l'ayant regardé, l'aima et le supplia de demeurer avec lui. »

(*Évangile secret de Marc*, III, 6-10)

Béthanie oscille entre chien et loup. Les nuits profondes, les jours incertains, la peur de la disparition hantent les disciples du Nazaréen. Est-ce l'effet de leur jeûne ou du froid qui aiguise leur impatience ? Les apôtres marchent renfrognés, quelques pas derrière Jésus, quand soudain une silhouette les bouscule et se précipite vers leur maître.

– Fils de David ! Aie pitié de moi.

La jeune femme tombe à genoux et retient Jésus par le pan de son manteau. Elle pleure. Elle l'implore. Elle supplie le Nazaréen de lui venir en aide. Les disciples tentent de séparer la malheureuse de leur maître. « Est-elle saine d'esprit ? se demandent-ils. Avons-nous affaire à une possédée ? » Sourds à ses plaintes, les disciples empêchent la jeune femme d'exprimer les causes de sa peine et l'éconduisent sans ménagements. Depuis que leur maître a ressuscité Lazare, il ne peut faire un pas sans être assailli de suppliques. Tous les malheurs du monde semblent converger vers lui. Un regard, un geste, parfois un mot de sa part et les mendiants d'espoir repartent rassasiés.

– Cesse d'ennuyer Jésus ! pestent les disciples. Va-t'en !

La jeune femme s'éloigne du bout des pas. Puis elle s'arrête, réfléchit quelques secondes et revient vers le groupe, bien décidée à se faire entendre.

L'éclat de ses yeux met les disciples mal à l'aise. Ils décèlent dans son attitude leur propre espérance et en sont jaloux. Son émerveillement fait de l'ombre à leur propre foi. Exaspérés par la paille dans le regard de la jeune femme, les disciples sont bien incapables de voir la poutre dans leur œil. Ils la jugent avant de la connaître. En elle, ils devinent leurs propres peurs qu'ils espèrent chasser en la repoussant. Une attitude qui déplaît à Jésus. Comment s'élèveront-ils vers la lumière s'ils restent aveugles à d'autres qu'eux ?

– Celui qui n'aime pas ne peut être mon disciple, leur dit-il.

Alors, furieux de leur réaction, il ralentit pour permettre à la jeune femme de le rattraper. Sans hésiter, elle redouble d'énergie, accélère le pas, fend le petit groupe et agrippe de nouveau Jésus.

– J'ai perdu mon frère ! La mort l'a enlevé, explique-t-elle en sanglotant. Il était trop jeune pour être ainsi arraché à la vie. Il ne méritait pas ce sort.

Jésus prend la jeune femme par le bras et l'emmène à l'écart.

– Que puis-je pour toi ? demande-t-il d'une voix douce, contrastant avec la violence des propos de ses fidèles.

La jeune femme n'espère qu'une chose, que Jésus vienne avec elle dans le jardin tout proche où se trouve le tombeau de son frère.

– Toi seul peux le sauver, supplie-t-elle.

– Je ne peux rien te refuser. Aujourd'hui est le sixième jour de la sixième semaine du jeûne qui nous prépare à Pessah. C'est ce jour où j'ai baptisé mes disciples. Eux semblent l'avoir oublié. Pas moi !

Sans un regard pour les apôtres, Jésus suit la jeune femme. Au fond du jardin se trouve une grotte fermée par une roche.

– Il est là, précise la jeune femme en pointant la tombe d'un doigt tremblant.

Jésus s'approche. Aussitôt un hurlement effrayant jaillit du tombeau.

– Le Prince de la mort retient ton frère, constate Jésus avec calme. Il espère m'empêcher de libérer sa proie. Il n'y parviendra pas.

La jeune femme figée par la peur ne répond pas. Les disciples regrettent de s'être aventurés si loin dans le cimetière. Jésus fait rouler la roche, puis se glisse à l'intérieur du tombeau. Le corps se trouve au centre de la grotte, couché dans la pénombre sur un lit de pierre. Par terre, un bol d'albâtre et des plats de céramique pour les repas funéraires. Enveloppé d'un drap blanc, le jeune homme semble dormir. Jésus tend la main vers lui alors que des râles rageurs redoublent et envahissent le tombeau. Jésus ne prête pas attention aux cris du geôlier des morts. Il défait le linge et saisit la main du jeune homme. Au contact de leurs chairs, le défunt ressuscite aussitôt. Il se redresse d'un coup, sans lâcher la main chaude de Jésus, et s'assoit sur le bord de la pierre pour reprendre son souffle. Il relève la tête et dévisage son sauveur.

– Je t'aime, déclare le jeune homme.

Il se relève d'un bond et se dévêt de son linceul. Vivant désormais, il se tient là, debout et nu devant Jésus.

– Je t'en supplie, ne me quitte plus.

Le jeune homme éprouve pour Jésus un sentiment d'amour qu'il n'éprouva jamais avant sa résurrection. Un même amour que ressentit jadis Jonathan le fils aîné de Saül pour le jeune roi David, une affection merveilleuse, plus chère que l'amour des femmes.

Il veut que le fils de David demeure avec lui et l'invite à séjourner chez lui. Laissant ses disciples à eux-mêmes, accompagné de sa sœur, Jésus le suit dans sa maison. Les défunts sont plus sages que les vivants, se dit-il. L'expérience terrible que le jeune homme vient de vivre l'a préparé à la connaissance du monde.

Six jours durant, Jésus lui enseigne les secrets de l'univers. Le septième jour, il donne l'ordre au jeune homme de le rejoindre, le corps nu sous un simple drap. Tel Jonathan qui aimait David comme lui-même et se dépouilla de son manteau, de ses habits et de son ceinturon pour les remettre à David, le jeune homme retire son drap. Toute la nuit ensemble, face à face, âme à âme, dans un corps à corps spirituel, Jésus lui transmet les mystères du royaume céleste. La sœur et la mère du jeune homme se tiennent tout ce temps à la porte de la chambre, mais Jésus ne les reçoit pas. « Que peuvent faire deux hommes nus enfermés dans une chambre ? » se lamentent-elles. Les relations intimes entre hommes sont honnies. La Loi est formelle : « Tu ne coucheras pas avec un homme comme on couche avec une femme. » Si l'homosexualité est condamnée par la loi de Moïse, elle est revendiquée comme un acte secret d'initiation par des judéo-chrétiens d'Alexandrie. Mais ici, la nudité du jeune homme est celle d'un être qui a retiré son corps. Le corps est nu mais son âme est revêtue d'une claire lumière. L'étreinte qui l'unit à Jésus est celle d'un souffle vivant qui respire avec l'âme du monde.

Le lendemain, l'initiation secrète du jeune homme accomplie, Jésus quitte l'immense maison et rejoint ses disciples.

10

Le temps de la révélation

« Viens que je t'instruise des mystères du Royaume, que nul n'a jamais vus. »
(*Évangile de Judas*, 47)

Cène de famille

« Prépare ta maison ! Là je célébrerai la Pâque,
car le temps approche et je ne la partagerai plus avec vous. »

(*Le livre du Coq*, 3-4)

Le printemps est là. Une nouvelle année commence. Béthanie se réveille au bourdonnement des abeilles et au parfum des oliviers. Le soleil tient sa revanche sur ces sombres journées d'hiver qui font confondre le jour et la nuit. Partout sur terre, les hommes célèbrent la renaissance de la vie. Un lien qui rassemble les pires ennemis autour de leur terreur commune, disparaître un jour sans avoir jamais existé. À Rome, la déesse de la Fertilité envahit les jardins et les champs et fait les yeux doux aux arbres fruitiers. À Jérusalem, les éleveurs de la région sacrifient les premiers-nés de leurs troupeaux. Leur foi est à la mesure du désespoir qui les anime. Les autels n'ont pas le temps de sécher. La terre ivre de sang promet la vie éternelle à la nature et aux hommes qui s'en nourrissent.

La veille de l'Exode, Moïse ordonna aux Hébreux de sacrifier un agneau et d'en répandre le sang sur les montants des portes de leurs maisons. Un rite efficace, puisque depuis, chaque année au printemps, au cours du mois du nouvel an des arbres, le sacrifice de l'agneau pascal éloigne un peu plus l'ange de la mort des maisons d'Israël. Une fête à ne pas négliger, sous peine de mort définitive.

Béthanie, qui a été le théâtre de la résurrection de Lazare, paraît le lieu idéal pour célébrer la vie. C'est là que Jésus a décidé de fêter la Pâque. Depuis son irruption dans Jérusalem, il sait que son temps approche et décide d'achever ce qu'il a commencé.

– Où veux-tu que nous fassions les préparatifs du repas de la Pâque ? demandent les disciples.

Jésus veut célébrer *pessah* avec ses disciples, mais il veut le faire conformément à la Loi. Revenir au temps du Déluge et de la refondation du monde, un temps où les hommes vivaient de leurs jardins. Alors, à leur grande surprise, il annonce sa réticence à partager avec eux l'agneau pascal.

– Je ne désire pas manger de la viande avec vous, lâche-t-il.

Le prophète Isaïe l'avait annoncé : « Le loup habitera avec l'agneau, la panthère se couchera avec le chevreau. La vache et l'ourse auront un même pâturage. Et le lion, comme le bœuf, mangera de la paille. »

Jésus est décidé à accomplir la prophétie. Le fils de la vierge, promis par Isaïe, n'est-il pas tenu de se nourrir exclusivement de miel et de lait ?

Hormis l'apôtre Matthieu, qui se nourrit exclusivement de noix, de légumes et de fruits, les autres disciples ne sont pas prêts à se passer de l'agneau sacrificiel pascal.

– Pourquoi ne devrions-nous pas manger la chair des animaux ? Dieu donna à l'homme le bétail, comme le furent les fruits et le blé.

Jésus ouvre en deux un melon.

– Voyez ses graines. Chaque fruit de la terre peut en produire plus de cent autres. En mangeant ce fruit, vous vous nourrissez du vrai Dieu, car aucun sang n'a coulé. La vraie nourriture de l'homme vient de la terre.

Avec la venue du Sauveur revient la Loi du jardin de la Création. Une terre nouvelle sous un ciel nouveau. Le temps d'avant le péché originel est rétabli. Une nouvelle Alliance va être scellée.

– Manger la viande est cruel, convient un disciple. Cela fait de nous des bêtes sauvages.

L'accès à la vie éternelle dépend de la capacité à ne pas faire couler le sang. Le paradis est végétarien. Se nourrir de fruits et de légumes, c'est rompre avec l'angoisse et la mort apportées par Satan. Transgresser l'interdiction de consommer du sang – déjà imposée dans la Genèse – est passible d'un châtiment divin : être banni des vivants.

– Celui qui vit par l'épée périra par l'épée ! rappelle Jésus.

Les apôtres conviennent – non sans hésitation – que seuls du pain, de l'eau et des herbes amères seront offerts lors de ce repas pascal. Le vin sera écarté en raison de sa couleur, qui rappelle celle du sang.

– Il vaut mieux être heureux, dit un disciple, que de faire de nos corps des tombes pour les animaux.

Au jardin d'Éden, Dieu n'offre à Adam et Ève pour nourriture que des fruits et des légumes. « Je vous donne toutes les herbes et tous les arbres qui ont des fruits. Ce sera votre nourriture », annonça-t-il. Manger de la viande, c'est consommer la chair de l'âme, le sang de la vie. C'est détruire l'œuvre de Dieu. Jésus ne veut plus commettre ce crime. La rupture est violente. Après le Déluge, Yahvé accorda le droit de manger les créatures qui se meuvent et possèdent la vie. Le retour au paradis terrestre dépend du renoncement à ce droit. Il fallait un cataclysme sans précédent, laissant la terre exsangue, pour octroyer un tel droit de tuer. Le cycle s'achève. Le Déluge d'eau vive, en noyant l'humanité, avait permis sa purification et sa renaissance. Yahvé s'engageait alors à ne plus porter atteinte à la vie de ses créatures.

Aujourd'hui, le baptême introduit par Jean, le fils de Zacharie, et accompli par Jésus, lave les corps et les âmes de leurs péchés. Plongés dans l'eau du Jourdain, ils se noient pour renaître purifiés, prêts pour la vie éternelle.

Jésus ne rompt pas avec la Loi, il veut l'accomplir. Les apôtres ne savent que répondre. Qu'est-ce qui remplacera l'agneau sacrificiel ? se demandent-ils. Judas a déjà la réponse. L'Agneau qui porte le péché du monde se trouve devant lui. Son immolation est indispensable à la délivrance de son peuple.

– Je suis venu abolir les sacrifices. Tant que vous ne vous détournerez pas du sacrifice, la colère divine ne se détournera pas de vous ! prévient Jésus. Le droit de tuer est aboli.

Le récit du coq

« Il est déjà venu à Béthanie. Il y a ressuscité des morts et guéri ma propre chair de la lèpre. »

(*Le Livre du coq*, 6)

Toute la journée, Pierre, Jacques et Jean, sur les ordres de Jésus, ont arpenté Béthanie à la recherche du premier homme portant une cruche d'eau. « Celui-ci sera notre hôte pour ce repas de la Pâque », avait annoncé le Nazaréen. En chemin, les apôtres rencontrent l'homme attendu, un certain Simon connu pour son respect rigoureux des prescriptions de la loi mosaïque. Comme tous les pharisiens, il observe scrupuleusement les obligations de pureté rituelle, le repos du shabbat et les coutumes de son peuple. Sa foi étant ardente, il est submergé de joie à l'idée de célébrer la Pâque en compagnie du Maître. Quelque temps plus tôt en effet, Jésus l'avait guéri de la lèpre. Ce ne peut être une coïncidence !

Honorés d'avoir été choisis, Simon et sa femme Akrosenna ne savent que faire pour se rendre dignes de cet honneur. La réputation de Jésus est immense. N'a-t-il pas ramené le fils d'Eléazar d'entre les morts ? rappelle Simon à sa femme. Enthousiastes, ils décorent la maison et étalent leurs plus beaux vêtements sur le sol, afin que Jésus les foule en entrant. En fait, le couple a l'habitude de célébrer Pessah trois jours plus tard, comme le font les dizaines de milliers de pèlerins affluant à Jérusalem des quatre coins du pays. Mais nombreux aussi sont ceux qui suivent le calendrier de la communauté des esséniens, fixant le repas rituel de Pâque dans la soirée du mercredi au jeudi, et non le vendredi. Dès lors, il leur reste peu de temps pour préparer un repas digne de leur hôte.

– Il reste un coq dans notre champ. Dépêchons-nous de l'attraper ! décide Simon. Le précieux volatile fera un plat de fête tout à fait acceptable, se dit-il.

Alors que Jésus et ses disciples discutent de l'abandon des sacrifices, Simon se précipite pour attraper son coq, le tue et le fait rôtir. Une offrande de grande valeur à leurs yeux, puisque le coq, selon la tradition populaire juive, est annonciateur de pluie bienfaisante et du lever du soleil. Gardien de la lumière naissante, c'est lui qui accompagne dans l'autre monde les âmes des défunts.

– Ce matin tu as signalé la victoire de la lumière sur les ténèbres ! dit Simon au coq cuit à point. Ce soir tu es dans le monde souterrain.

Prudent, il demande le pardon du coq pour l'avoir égorgé. En répétant la coutume observée le jour des expiations, il fait passer trois fois l'animal au-dessus de sa tête.

– Ceci est mon expiation, ceci est mon rachat. Ce coq va à la mort tandis que moi je poursuivrai le chemin de ma vie.

En sacrifiant leur unique coq, Simon espère être lavé de ses péchés. Une superstition répandue à travers le pays, car la croyance populaire associe le volatile au cycle de la vie. Nombre de Judéens et de Galiléens en élèvent pour garantir la fertilité de leur terre. Au grand dam des prêtres et des docteurs de la Loi, les plus superstitieux placent une effigie de coq sur leur toit afin d'éloigner de leur maison l'ange de la mort. Mais Simon a été témoin des prodiges accomplis par Jésus à Béthanie. Il ne doute pas. Jésus est le Messie annoncé par les prophètes. Alors sans arrière-pensée, sa femme et lui se réjouissent. Cette soirée sera inoubliable.

*

* *

Avant de prendre place pour le repas pascal, Jésus se déshabille, ceint un simple linge autour de ses reins, verse de l'eau dans un récipient et se prépare à laver les pieds de ses disciples. Interloqués, les apôtres mal à l'aise aimeraient échapper à ce privilège.

– Jamais tu ne me laveras les pieds ! proteste Pierre.

– Puisque c'est toi qui me succéderas à la tête du collège des apôtres, c'est par toi que je commence, explique Jésus.

Puis il lave les pieds de Jacques, de Jean, de Philippe, de Barthélemy, de Thomas, de Matthieu, de Thaddée, de Nathanaël, de Jacques le fils d'Alphée, d'André le frère de Pierre et de Judas l'Iscariote. Enfin, il verse l'eau sur ses pieds avec la même cruche utilisée pour ses disciples. Pendant ce temps, Judas est obsédé par une idée : comment livrer Jésus aux autorités afin que, pour s'échapper, il révèle sa nature divine ?

Akrosenna apporte à table le coq rôti présenté dans un plat de fête. Irruption du poids des traditions et de la force des superstitions, le rôti se tient là, piteux et glorieux au milieu des disciples, comme la caille servie par ses filles au dieu El dont le fumet raviva la vitalité.

Jésus ne veut pas vexer ses hôtes en refusant leur mets. Plutôt que de rappeler que l'expiation passe désormais par l'abandon des sacrifices, que la seule nourriture sainte est végétarienne, il préfère réparer le péché involontaire de Simon et de sa femme.

– Remercions ce coq de nous initier chaque matin à la lumière, déclare Jésus.

Il embrasse du regard les douze apôtres et touche du doigt le coq encore fumant.

– Nous sommes nés de la lumière, et retournons là où la lumière naît d'elle-même, annonce-t-il.

Aussitôt, le coq se dresse sur ses ergots et lui fait face. Vivant, comme s'il n'avait jamais été égorgé, plumé, vidé et rôti, il va et vient sur la table de la cène. *Tsape baparava-pil !* [1] Le coq chante à tue-tête. Plein d'ardeur, il salue son propre retour à la lumière. « Je vous pardonne ! » semble-t-il dire à Simon et à sa femme en battant des ailes.

Les disciples, surpris par ce prodige, sont partagés. S'agit-il d'un vulgaire tour de magie ou d'un miracle inspiré directement des Cieux ? Le doute en tête, ils posent de nouveau la question à Jésus :

– Dis-nous qui tu es, si tu veux que nous croyions en toi !

Seul Judas ne doute pas. La résurrection du coq ne l'étonne pas. La nature divine de Jésus s'impose à lui, éblouissante et évidente. Soudain les paroles de son maître résonnent dans son cœur : « Heureux vous serez quand on vous haïra et vous persécutera ! Il ne se trouvera aucun lieu où vous ne serez pas outragés. »

Marie de Magdala, compagne et initiée, Marie de Béthanie, Marthe et leur frère Lazare ainsi que Jacques le frère de Jésus partagent ce repas de la Pâque avec les douze apôtres. Un souper de famille sur lequel plane le terrible sentiment qu'il sera le dernier. La tragédie est en marche. Chaque participant y tient son rôle.

---

1. Cocorico !

– Je ne boirai plus dans cette coupe jusqu'à ce que je sois retourné au royaume des cieux ! annonce Jésus.

Son frère Jacques, qu'il sauva enfant d'une morsure de serpent, fait à son tour le serment de ne plus manger de pain jusqu'à ce qu'il voie le Sauveur ressuscité de ceux qui dorment dans l'autre monde. Les apôtres, inquiets de leurs vœux, jurent aussitôt leur fidélité à Jésus et à son message.

– Si tous succombent, sois certain que moi je te serai loyal ! promet Pierre.

Jésus rompt le pain et verse l'eau. Il se tourne vers Pierre et devine dans ses yeux la faiblesse de son cœur. Le pêcheur détourne le regard. Jésus lui tend un morceau de pain.

– Aujourd'hui, cette nuit même, tu m'auras renié trois fois, annonce-t-il.

Pierre ne le sait pas encore, mais il niera, jurera et maudira. Pris d'un vertige soudain devant le vide qui s'ouvre devant lui, il lui promet comme un enfant pris en flagrant délit de mensonge :

– Dussé-je mourir avec toi, non, je ne te renierai pas !

Tous les apôtres jurent à leur tour. Jésus, imperturbable, les avertit.

– Je vous ai choisis, un par un, pour faire partie de mon collège, pourtant l'un de vous me livrera.

– Maître, n'es-tu pas le fils de notre Dieu ? proteste Pierre, comment pourrions-nous te trahir ?

Le visage sombre, Jésus s'inquiète de leur ignorance.

– Que savez-vous de moi ? Dans cette génération, aucun d'entre vous ne connaîtra ma vraie nature, ironise-t-il. Vous ne savez pas vraiment ce que vous faites.

Troublés, les apôtres se mettent en colère. Irrités, blessés dans leur foi autant que dans leur fierté, ils contestent le jugement cinglant de Jésus.

– Nous sommes capables de contempler ta véritable nature ! Notre foi est assez forte, affirment-t-ils.

Malgré leur conviction, les apôtres ne parviennent pas à montrer à Jésus l'homme parfait, l'être conscient de la vérité qui se trouve au fond d'eux. Ils voudraient lui prouver qu'ils sont aptes à accéder au Salut mais restent aveugles à sa dimension divine. Lui vient du royaume d'en haut, alors qu'eux appartiennent à ce monde d'en bas, ce monde mauvais dont il faut à tout prix s'échapper pour voir disparaître la peur et la mort de l'existence des hommes.

Judas fait face à Jésus. Il le regarde dans les yeux et ne détourne son visage qu'en signe d'humilité.

– Je sais qui tu es, déclare-t-il. Tu viens du royaume d'en haut. Tu es le fils du Dieu éternel.

Le repas s'achève. Jésus se tourne vers ses disciples.

– Tout est achevé pour moi, quittons cette maison et allons passer la nuit à Gethsémani*.

Judas comprend que le moment d'agir est venu pour lui. Tout se nouera donc dans le jardin du pressoir à huile, au pied du mont des Oliviers dans la vallée du Cédron, à la limite sacrée de Jérusalem.

Au petit matin, avant même que le soleil ne se lève, il quitte Béthanie pour se rendre à Jérusalem.

Jésus se penche vers le coq et lui chuchote :

– Je te demande de suivre Judas en secret et de me rapporter tout ce qu'il adviendra.

Sans attendre, l'animal s'envole vers la maison de Judas où il a rejoint sa femme.

Judas, l'apôtre préféré de Jésus

« Mais toi, tu les surpasseras tous ! »

(*Évangile de Judas*, 56)

La relation étroite entre Jésus et Judas suscite depuis toujours la jalousie des autres apôtres. Son étoile brille trop à leur goût. Il leur répète imprudemment que certains êtres humains détiennent une parcelle divine qui leur permet d'accéder au royaume divin. Embarrassés, parfois indécis, eux ne sont pas possesseurs de cette clarté intérieure. Lui si ! Alors à la première occasion, les onze apôtres n'hésiteront pas à le maudire, le bannir et à le remplacer par un autre.

Contrairement aux autres apôtres, Judas n'hésite pas. Jésus vient du royaume immortel du grand Esprit infini. Il en est certain, son ami est le fils de l'invisible Père divin dont personne ne peut prononcer le nom. « N'avons-nous pas tous le même Père ? » constatait jadis le prophète Malachie. Aujourd'hui, c'est pour Judas une certitude. Lui, le douzième du collège des apôtres, le seul à croire aveuglément au destin messianique de Jésus, porte la responsabilité de la révélation sur terre de son identité céleste. Les autres ne sont que des envoyés. Des messagers chargés de répéter la Parole aux quatre coins de l'Empire, dont le cœur bégaie. Judas a pris la peine de lever les yeux vers le ciel. Il a vu les nuées lumineuses se rassembler et les étoiles se déployer. Grâce à lui l'enseignement secret de Jésus sera possible.

– Sépare-toi des autres apôtres et je t'enseignerai les mystères du royaume céleste, avait proposé Jésus à Judas. Je t'instruirai des choses cachées que nul n'a jamais vues.

Une intimité qui vaut déjà à Judas l'inimitié des autres apôtres. Fils de Simon l'Iscariote, Judas vient de Qeriyyot, au sud d'Hébron, dans le désert du Néguev. Loyal jusqu'au sacrifice, il fait partie de cette quatrième philosophie du judaïsme qui ne reconnaît comme roi que Dieu, et comme loi que celle de Moïse. « Ne croyez pas que je sois venu apporter la paix, mais le glaive ! » avait déclaré Jésus. C'est une guerre sainte que veut mener Judas, le seul moyen de purifier la Terre promise de l'occupant romain. Mais d'abord le moyen de hâter la révélation du Messie, le seul à pouvoir sauver Israël et permettre le retour de Yahvé au sein de Son peuple. Pousser Dieu dans ses retranchements, aller jusqu'à la lisière de la disparition… alors seulement la lumière chassera les ténèbres. Judas est un zélote, il attend beaucoup de Jésus et s'impatiente. Il faut que la prophétie s'accomplisse. Jésus doit révéler au monde sa véritable nature divine.

De ses douze disciples, Judas est le préféré.

– Nous sommes meilleurs que ce monde d'en bas ! lui a-t-il dévoilé un soir. C'est de ce lieu dont nous devons nous évader.

Jésus lui a enseigné la connaissance cachée. Il lui a montré le royaume infini dont aucun ange n'a pu atteindre les frontières. Dans ce monde d'en haut se trouve le grand Esprit invisible. « C'est là que nous allons ! » lui avait-il promis.

– Judas, tu surpasseras tous mes disciples, lui annonce soudain Jésus, à la grande déception des autres apôtres.

Sa crucifixion annoncée ne paraît pas à Jésus une tragédie, mais le moyen de délivrer son message et de retourner dans le monde d'en haut. Alors Jésus met son ami en garde.

– Connaître les mystères te vaudra mille souffrances. C'est toi qui me libéreras de mon enveloppe charnelle.

N'est-ce pas pour tout homme le passage nécessaire au pardon de ses péchés permettant l'accès à la vie éternelle ? Si le corps meurt, son âme reçoit la vie. Pour cela, Judas est prêt à tout pour rendre possible le destin de son bien-aimé maître.

– J'ai eu une vision, lui avait-il annoncé un beau matin.

Jésus l'avait écouté, amusé.

– Chacun a son étoile, mais la tienne est bénie, lui avait-il répondu.

Certes, Judas le livrera aux Romains. Jésus le sait. Pourtant, en le précipitant vers le Golgotha*, lieu terrible de toutes les morts, c'est lui qui permettra l'accomplissement de son dessein sur terre.

– Dans ce songe, je suis méprisé et lapidé par les onze autres apôtres, s'était inquiété Judas.

Aujourd'hui, Jésus mesure la hauteur du sacrifice de son ami. Judas souffrira au-delà des pires martyres. En connaissance de cause, pour le Salut de Jésus, Judas hâtera la révélation du Messie et il en paiera le prix de son propre Salut, un prix très élevé.

– Mon bien-aimé Judas, tu seras l'apôtre hors du cercle du collège. Tu seras maudit par des générations ignorant ton sacrifice, mais tu seras à jamais mon principal disciple.

Pour que Jésus rejoigne sa demeure céleste, car il en va du Salut de tous, Judas renonce à l'innocence. Grâce à lui, Jésus s'échappera de ce monde sanguinaire et matériel où la mort règne sans partage. Judas en ressent la terrible responsabilité en même temps qu'un immense chagrin.

– Judas, tu accompliras toi aussi ton ascension. Quand viendront les derniers jours, tu t'élèveras vers la génération sainte, lui promet Jésus.

*

* *

Toute la nuit, Judas cherche la meilleure façon de livrer Jésus. Le plus efficace et le moins dangereux pour lui est de se rendre au Temple et d'informer le Grand prêtre. Après tout, le pontife est nommé par Rome, et Rome se méfie des poussées de fièvre religieuse fréquentes en Judée. Le pontife n'hésitera donc pas à demander l'arrestation de Jésus. Mais il ne pourra pas prononcer la peine capitale. Depuis une quarantaine d'années d'occupation romaine, le Sanhédrin n'a plus le pouvoir de condamner à mort. Ce privilège reste aujourd'hui réservé au préfet de Judée, Ponce Pilate. Les uns sont furieux que Jésus accomplisse des prodiges, guérisse les lépreux et ressuscite les morts durant le shabbat. C'est le signe que Satan agit avec lui et non Yahvé, qui interdit toute action durant le septième jour, excepté l'étude de la Loi. Les autres Romains se moquent qu'un Juif soit considéré comme un messie, un sauveur d'âme, capable de laver les hommes de leurs péchés et de leur apporter la vie éternelle, mais ils n'acceptent pas du tout que ce sauveur se prétende aussi descendant du roi David. C'est à leurs yeux un acte de rébellion passible du pire châtiment. Tout ne se déroulera donc pas comme Judas l'espérait.

Lui qui est le disciple préféré de Jésus reçoit trente deniers en paiement de ses efforts. Dix fois moins que le coût du parfum versé par Marie de Magdala sur Jésus. C'est une somme modeste pour Judas qui ne manque pas d'argent, mais un moyen de gagner la confiance des corrupteurs. Ils doivent le croire, le suivre jusqu'au jardin du pressoir à huile, arrêter Jésus et sans le savoir participer à l'accomplissement de sa mission sur terre.

Rien n'est encore arrivé que Judas souffre déjà des affres de sa trahison. Il est convaincu d'agir pour le bien de Jésus. Il faut que son message éclate. Jésus doit se révéler, sauver son peuple de siècles de servitudes ! Judas a-t-il vraiment le choix, alors qu'il connaît la véritable nature de Jésus ? En fait, des douze apôtres, il est celui qui a la foi la plus forte. Pourtant, il ressent déjà la honte s'infiltrer dans son cœur et en même temps fissurer sa foi. Alors, comme pour se débarrasser de la preuve de son acte, Judas remet les trente deniers à sa femme.

– Comment le reconnaîtrons-nous ? s'inquiète la police du Temple.

Sarcastique, Judas se moque de ces hommes qui ne connaissent pas Jésus.

– Ne vous tracassez pas, je le désignerai en lui donnant un baiser.

Au moment de repartir, malgré son impatience, il marque un temps d'arrêt et ajoute :

– Après vous l'avoir livré, je n'aurai plus aucune responsabilité envers vous !

Une rosée de sang sur le jardin de Gethsémani

« Tu deviendras le treizième apôtre, tu seras maudit par les autres générations, mais tu régneras sur elles. »

(*Évangile de Judas*, 47)

Le coq n'a pas perdu un mot de cette conversation. Jésus lui a donné la capacité de comprendre la langue des hommes et de la parler. Alors il a écouté avec attention et compte bien tout répéter, mot à mot. À tire-d'aile, il s'envole du Temple et rejoint Jésus et ses disciples sur le mont des Oliviers.

– Dis tout ce que tu as vu et entendu, ordonne Jésus.

Le coq devenu plus humain que les soldats romains pleure à chaudes larmes en racontant par le détail les faits et gestes de Judas.

– Ils se rassemblent pour venir t'arrêter, explique-t-il. Je les ai vus de mes yeux s'armer de gourdins et de glaives.

Sa crête a perdu de sa superbe. À l'entendre, tous les animaux du monde se lamentent. Mais quand il rapporte leur intention de supplicier Jésus sur un pilori de bois et de le transpercer avec une lance, tous les apôtres, saisis d'effroi pour leur propre vie, se mettent à pleurer à leur tour.

– C'est un certain Paul venu de Tarse, un membre de la tribu de Lévi, qui accompagne la milice en route pour t'arrêter, ajoute le volatile.

Au nom de Paul – Saül en hébreu – la peur envahit les apôtres. Impitoyable, connu pour son imposante stature et sa violence, Saül-Paul est partisan d'une lecture rigoriste de la Loi. Certes les Romains sont ses ennemis, mais les Juifs qui dévient de la pureté rituelle sont à ses yeux encore plus dangereux pour le peuple d'Israël. Un millénaire avant, un autre Saül, roi déchu, persécutait le futur roi David. Aujourd'hui un nouveau Saül persécute la maison de David. Le cycle s'achève, chacun en a désormais conscience.

– Qu'a répondu Saül ? s'inquiète un apôtre.

Le coq répète mot pour mot la réponse de Saül-Paul à Judas.

– Remets Jésus entre nos mains, a dit Saül-Paul, et toi Judas tu n'auras ni culpabilité ni reproche.

D'une caresse, Jésus le remercie pour sa loyauté.

– Ta mission ici est achevée. Prends des forces et envole-toi.

Puis il demande aux apôtres de se rassembler et de se diriger avec lui vers le jardin du pressoir à huile. Gethsémani, le refuge habituel des disciples de Jésus, est cerné d'imposants oliviers. À proximité du torrent du Cédron, le jardin abrite une grotte profonde. Un lieu calme et familier où se recueillir avant que ne commencent les douleurs de l'enfantement d'un nouveau monde. Jésus et les apôtres s'y assoupissent quelques instants, guettant dans leur demi-sommeil l'arrivée de la cohorte en armes annoncée par le coq.

Les onze disciples tremblent de peur et de froid. Ils se serrent les uns contre les autres, mais rien n'y fait. Malgré leur bonne volonté, la chair faiblit et la grotte ressemble de plus en plus à un tombeau.

11

L'arrestation de Jésus

« Alors Paul s'empara de lui et lui donna des coups à la poitrine et au visage. »
(*Le Livre du Coq*, 13)

Pierre renie Jésus

« Aussi vrai que le Seigneur mon Dieu est vivant,
je ne connais pas cet homme ! »

(*Le Livre du Coq*, 5, 29)

Jusqu'à présent, Judas l'Iscariote est convaincu d'accomplir la meilleure des actions. Il mène facilement la petite troupe vers le jardin des Oliviers. Il s'y est rendu tant de fois avec ses compagnons ! Mais cette fois, en y arrivant accompagné par des gardes armés, il a l'impression d'entrer par effraction dans sa propre demeure. Cette nuit du mercredi au jeudi, le douzième jour du mois du printemps, sera celle de la moisson de l'innocence. Cette nuit, ceux qu'il aime comme ses frères vont le haïr. Jésus l'a prévenu. Pourtant il tremble comme une feuille en entrant dans le jardin. D'impatience sans doute. Le destin de Jésus ne va-t-il pas s'accomplir grâce à lui ? Sans arrestation, pas de crucifixion ni de résurrection. Et point de Salut ! Le péché de Judas permet que tous soient sauvés de leurs péchés. Il est cette nuit le seul des apôtres à ne pas en douter. Ils sont aveugles, songe-t-il. Lui, le seul des disciples digne de connaître les mystères, voit au-delà de la chair et du sang de Jésus. Le vrai péché, c'est l'ignorance, se dit-il en avançant vers la grotte.

– Le moment est arrivé, souffle Jésus. Fuyez tous !

Il est trop tard pour s'échapper. Les oliviers paraissent s'animer. Leurs bras tortueux accrochés au ciel semblent donner l'alarme. De leurs troncs surgissent des ombres armées. Rapidement, sous une lune effarée, la cohorte encercle les apôtres. Un flambeau dans une main, une épée dans l'autre, des légionnaires assistés par des gardes du Temple séparent les disciples les uns des autres.

– Nous cherchons Jésus de Nazareth ! annonce un garde.

Judas s'approche de son maître et lui donne un baiser.

– Mon bien-aimé, tu m'auras donc livré, constate Jésus.

Saül-Paul s'interpose aussitôt, craignant un accès de culpabilité de la part de Judas.

– Tu n'as rien à te reprocher et nous n'exigerons pas davantage de toi, lui dit-il, faisant signe aux gardes de saisir Jésus.

Aussitôt, sans doute inspirés par la peur, des gardes giflent Jésus. D'autres le frappent du poing à la tête et sur le corps. Ils l'insultent, le maudissent, le rouent de coups de pied. Même Saül-Paul le frappe au visage. Peut-être espèrent-ils qu'il accomplisse un des prodiges dont il a le secret. Mais rien. Jésus subit ces violences sans se défendre. Étourdi, il tombe à terre. À genoux, il tente en vain de se protéger. La milice en profite pour le piétiner sans retenue. La bastonnade semble durer indéfiniment. Fatigués de frapper, les gardes reprennent leur souffle. Les disciples se sont tous enfuis, excepté Pierre et Jean qui se tiennent à l'écart. Judas s'est éclipsé dès que Saül s'est emparé de son maître.

Jésus, à genoux, lève les yeux vers Paul.

– Cesse de me faire du mal ! implore-t-il.

Sans ménagement, les gardes relèvent Jésus.

– Tu te lamenteras pour le mal que tu me fais, prévient-il. Le jour du Jugement dernier, tu devras en répondre devant moi !

Pressée de quitter le jardin, la cohorte le traîne vers le temple alors que Saül-Paul, furieux de la prédiction de Jésus, l'invective, comme pour détourner le sort.

L'arrestation de Jésus a été préparée en secret et menée le plus rapidement possible, pour éviter que des fidèles n'aient le temps de se rassembler. Pilate veut mener le procès à la hâte et expédier le Nazaréen au supplice avant que les Judéens ne s'organisent. Ou alors, Jérusalem sera mise à feu et à sang.

*

* *

À la lumière du feu allumé par des légionnaires pour se réchauffer, une gardienne aperçoit Pierre à la porte du palais de la *Gerousia**, la Maison du jugement du Sanhédrin où Jésus ne va pas tarder à être déféré.

Enveloppé dans son manteau, appuyé contre le mur tel l'ombre d'un mendiant, il attend résigné des nouvelles de son maître. Pierre n'est pas intervenu pour protéger Jésus des coups que lui assénaient les gardes. Et la honte l'étouffe. Il s'est maladroitement interposé, mais sans réelle conviction. Lui, le gardien des clés de l'autre monde, n'a pas trouvé le courage de fuir tant ses jambes vacillaient sous le poids de sa peur. Il n'a même pas osé suivre Jean sur le Xyste*, la terrasse de dalles bordée par l'ancien mur de David, reliant la ville haute au portique du Temple. Le pêcheur de Galilée, celui que Jésus aime, est entré tranquillement dans la cour alors que Pierre est resté à l'extérieur, effrayé par les va-et-vient des gardes du Temple. Jean a descendu sans hésiter quatre marches vers le bassin des ablutions pour les pieds. Il y a fait une courte halte avant de pénétrer dans le vestibule du palais pour se renseigner auprès des scribes de la gravité des reproches pesant sur Jésus. Les curieux amassés devant le mur lui rapportent que le Nazaréen est interrogé par Annas*, le doyen des prêtres, et par son gendre, le Grand prêtre Caïphe*. Tous deux sont honnis par le peuple en raison de leurs relations perverses avec le pouvoir romain. Caïphe n'est-il pas surnommé « le despote » par le peuple, en particulier par les pharisiens, qui le jugent illégitime dans la charge de Grand prêtre ?

Le regard suspicieux, la gardienne de la porte s'approche de Pierre. L'apôtre meurt d'envie de partir en courant. Mais il reste là, un arbre aux racines desséchées attendant le coup de grâce qui l'enverra à la poussière.

– Toi, vieil homme ! Oui, c'est bien à toi que je parle ! crie la gardienne.

Son cœur galope dans sa poitrine. L'estomac au bord des lèvres, il tente de dissimuler la peur qui l'étreint. « Cette femme m'a reconnu », déplore-t-il.

– Tu es bien l'un des acolytes du magicien de Galilée ? l'interroge la gardienne.

Face contre face, elle ressent la crainte qui transpire de tous les pores de la peau de Pierre. Mais ce dernier coupe aussitôt court aux soupçons de la vieille femme.

– Je ne connais pas le Galiléen dont tu parles, ment-il.

Incertaine, la gardienne retourne sans un mot à son poste. Pierre, les genoux en coton, incapable de s'enfuir, reste sur place, attendant des nouvelles de Jésus. Quelques instants plus tard, un serviteur du temple l'aperçoit. Il s'approche une torche à la main, le dévisage et se souvient soudain. C'est cet homme qui a coupé une oreille de son frère dans la bousculade provoquée par l'arrestation de Jésus !

– Tu es un disciple du Galiléen ! Je te reconnais, affirme-t-il.

Pierre aimerait ne se souvenir de rien. Cette nuit lui paraît un cauchemar à effacer de sa mémoire. Certes, des bribes refont surface, mais il les enfonce aussitôt dans l'oubli. Durant l'arrestation de Jésus, Pierre s'est débattu. Il a peut-être tenté brièvement de protéger son maître, mais sans succès. Jésus empêchait ses disciples d'affronter la troupe armée. L'image d'un de ces misérables jaillit, l'oreille entaillée et le visage ensanglanté. Il ressemble étonnamment au serviteur qui le scrute. « Son frère peut-être », se dit Pierre.

– Je te le jure devant le dieu vivant d'Israël, je ne connais pas l'homme dont tu parles, ment-il encore une fois.

Le serviteur hésite à appeler les centurions qui, de la tour Antonia, surveillent le Temple et ses alentours. Il n'est plus certain d'avoir reconnu Pierre. Tremblant comme une feuille, le vieil homme ressemble davantage à un mendiant qu'à un disciple du Galiléen. Comment cet homme aurait-il pu blesser mon frère ? conclut le serviteur en tournant les talons.

En les voyant discuter, la gardienne de la porte, partagée entre curiosité et suspicion, revient sur ses pas. Elle veut en avoir le cœur net. Il est hors de question qu'un partisan du magicien Nazaréen pénètre dans la salle d'audience.

– Tu as été trahi par ton accent galiléen, annonce-t-elle. Tu es bien un disciple de ce Jésus. Tu es sans doute un de ces pêcheurs qui ont abandonné leur famille pour le suivre ! lui reproche-t-elle.

Pour la troisième fois de la nuit, Pierre renie Jésus.

– Je te jure que je ne connais pas ce Jésus dont tu parles !

Aussitôt, un coq chante, annonçant la fin de la nuit. Alors Pierre fond en larmes au souvenir des propos de Jésus. « Tous ceux qui me connaissent me renieront », avait averti le Nazaréen.

Jésus est traduit en justice

« Paul attacha les pieds et les mains de Jésus avec des chaînes. »

(*Le Livre du Coq*, 6,4)

Annas supporte de moins en moins les nuits froides de Jérusalem. En s'enveloppant dans un manteau de lin, il demande qu'un feu de braises soit allumé pour réchauffer le grand *traqlin**. Le vieux prêtre se prépare à une longue veillée. Malgré la foule qui se presse dans la salle d'audience, principalement des prêtres, des gardes et des serviteurs, il s'inquiète à nouveau de la fraîcheur de la nuit. La lune se lève à peine. Il faut davantage de lumière et plus de chaleur ! se dit-il. Des vasques en terre cuite remplies de braises sont placées aux quatre angles de la salle, sur de luxueux trépieds au plateau de pierre. Sous le poids d'une clarté hésitante, l'atmosphère de la salle s'alourdit.

La garde officielle prend place de part et d'autre du siège d'Annas. Dans le brouhaha, Jésus est introduit dans la salle d'audience. Le pas incertain, il s'avance vers le fond du *traqlin*, d'où le vieux Annas le contemple avec méfiance. Le corps meurtri par les coups, Jésus laisse échapper quelques gouttes de sang vers la mosaïque de grenades qui orne le sol. Sur les murs, des étoiles à six rais rappellent aux visiteurs que le monde a été créé en six jours et donc que le repos du septième jour est un commandement inaltérable. La trinité, la dualité, l'unicité, les six rayons de l'étoile expriment déjà les questions et les réponses de l'interrogatoire de Jésus.

Épuisé, Jésus grimpe avec difficulté les marches de l'estrade placée face à Annas. Saül-Paul l'a traîné cent trente-trois fois autour du parvis, sous les insultes, les crachats et les coups. Citoyen romain par sa naissance à Tarse dans la province de Cilicie, Saül-Paul traque les Juifs qui refusent la romanisation de leurs traditions et de leur culte. Sans pitié pour ces agitateurs, il les pourchasse sans relâche. Jésus est une prise de valeur. En faisant un exemple du châtiment réservé aux insolents qui ne reconnaissent pas César comme roi et la loi romaine comme Loi, il espère bien décourager les velléités de révolte. Il ne fera qu'en accélérer l'explosion.

Jésus ne parvient pas à se tenir debout. Appuyé sur le rebord de l'estrade, il lève les yeux vers le ciel.

– Regarde, Abba* ! Regarde le mal qu'ils me font !

Il se redresse et tente de faire face à ses accusateurs. Le public se tait. Caïphe sent aussitôt que la faiblesse de Jésus le rend plus fort. Il n'oublie pas l'accueil triomphal que les milliers de pèlerins lui ont réservé. Il lui faut démontrer que ce Nazaréen représente une menace pour les Judéens.

Le Sanhédrin, haute autorité juridique et administrative, n'est pas exclusivement constitué de prêtres, il comporte aussi des scribes. Depuis Jules César, la *Gerousia* de Jérusalem est rabaissée au rang d'un conseil religieux de district, sans pouvoir sur les quatre autres.

– Tu bouleverses les esprits du peuple de Jérusalem ! annonce le Grand prêtre. En le poussant à la révolte, tu le précipites à sa perte ! Le sais-tu ?

Jésus a retrouvé la force de son enfance. L'esprit clair comme de l'eau de roche, il réplique sans hésiter.

– Tu m'as fait arrêter comme un voleur, moi qui suis venu accomplir les promesses des prophètes ! Comment oses-tu ?

– Mieux vaut qu'un seul périsse que tout le peuple ! lance Caïphe.

La stratégie du Grand prêtre est celle de toute la caste sacerdotale, tout faire pour éviter un soulèvement populaire. La Judée n'y survivrait pas. Le Temple serait détruit et les enfants d'Israël massacrés ou disséminés à travers l'Empire. Selon les prêtres, préserver le temple de Jérusalem, c'est préserver son peuple. Tout homme porteur d'un vent de révolte doit être mis hors d'état de nuire.

La menace est précise. Mais Jésus ne se renie pas. Au contraire, il répète ses propos sur un ton qui sème le doute dans l'assistance.

– Si je suis tombé entre vos mains, c'est afin que ce qui a été écrit s'accomplisse.

Une logique que partagent les prêtres. Ne prétendent-ils pas inlassablement que si Rome est parvenu à conquérir Jérusalem, c'est parce que Yahvé l'a voulu ? Alors à quoi bon se révolter, puisque le succès de leurs ennemis ne cessera que lorsque le dieu d'Israël l'aura décidé !

La réflexion de Jésus a été suffisamment efficace pour provoquer la colère d'un garde du temple qui grimpe l'escalier quatre marches à la fois pour le gifler. Jésus conserve un calme étonnant. Il passe ses longs doigts sur son visage, se tourne vers le garde, le fixe et d'une voix ferme le met en garde.

– Pourquoi m'as-tu frappé ? Suis-je un criminel ?

Puis, il ajoute comme un avertissement à toute l'assemblée :

– Si tu me fais encore du mal, c'est toi qui souffriras.

Jean ne perd pas un mot de la confrontation entre le fils de Marie et le Grand prêtre. Il est le seul de ses disciples à y avoir assisté. Son devoir est immense. Il faut qu'il écrive ses mots. Qui d'autre que lui pourra rapporter ses paroles ?

Alors que Jean réfléchit à sa nouvelle responsabilité, Paul, furieux de la réponse de Jésus au garde, l'agrippe et le précipite du haut des marches de l'estrade. Un acte sans foi ni loi, infligé par orgueil. Peut-être sent-il sa conviction se fissurer ? Peut-être commence-t-il à croire les paroles du Galiléen ? Jésus ne se rebelle pas. Il se relève sans un regard pour Paul, et se tient debout pour écouter la décision des prêtres.

– Il faut que Jésus comparaisse devant le préfet, conclut Annas.

– Oui, qu'il soit jugé par Ponce Pilate ! confirme Caïphe.

Est-ce pour préserver les pèlerins des violentes représailles dont Pilate a le secret, ou pour préserver les prêtres du Temple de la concurrence grandissante des mouvements messianistes ? Quoi qu'il en soit, le Sanhédrin n'est pas autorisé à mettre un homme à mort. Si un juge doit en prendre la responsabilité, ce sera Pilate.

*

* *

Encadré par des gardes, Jésus sort du palais de la *Gerousia* pour être déféré devant Pilate. Au premier regard, Pierre comprend que Jésus sait pour ses mensonges. Il l'a déjà renié trois fois comme son maître l'avait prédit. Mais en même temps, Pierre comprend que sa faiblesse a été pardonnée.

– Va voir nos frères et raconte-leur tout ce qui m'arrive, dit Jésus alors que les gardes le piquent dans les reins pour qu'il avance plus vite.

Sans précaution, Paul enchaîne Jésus. Il entrave ses mains et ses pieds, puis le traîne à travers le parvis. Sur le trajet vers le tribunal du préfet, les gardes l'insultent et le frappent. Aucun des légionnaires n'est juif, puisque César a interdit d'enrôler des auxiliaires en Judée. Les Juifs de l'Empire, ceux qui bénéficient de la citoyenneté romaine, sont dispensés de service militaire pour leur impossibilité religieuse à se plier aux règles en vigueur dans l'armée romaine. Seule la garde officielle du temple, environ cinq cents hommes, est constituée de Juifs, pour la plupart des prêtres, choisis par les Grands prêtres, mais qui ne peuvent se déployer sans l'autorisation du préfet.

Épuisé, Jésus s'effondre. La foule des badauds l'abreuve d'injures. Des pèlerins prennent le parti de Jésus. Les deux groupes s'invectivent. Certains en viennent aux mains. La confusion inquiète les gardes qui tentent de séparer les protagonistes. L'agitation grandit. Les fauteurs de troubles font un tel tapage en se disputant que Jésus échappe quelques instants à la vigilance des gardes. Ces derniers le croient trop faible pour se relever et s'amusent du chahut au lieu de le surveiller. Jésus profite de ce répit pour se libérer de ses liens et s'enfuir. Poussé par son enveloppe charnelle qui crie grâce, il dévale les escaliers vers l'est du Temple, en direction du portique de Salomon, une immense colonnade accessible à la population de Jérusalem où il espère pouvoir se perdre.

Trouver un abri où se reposer, reprendre des forces et échapper aux souffrances qui s'annoncent ! Le corps de Jésus refuse d'en subir davantage. Son âme au contraire sait que pour être libérée, elle ne peut éviter le passage obligé de son supplice.

À l'entrée du portique, il rencontre une femme allaitant un enfant. Aucun ne bouge. Ni l'enfant ni la femme. Leur tranquillité donne l'impression qu'ils l'attendaient. Jésus comprend alors que sa tentative de fuite s'achève ici. Cette femme appartient à la famille de Judas l'Iscariote. Elle ne pourra donc s'opposer à la révélation de sa nature divine. Puis en contemplant l'enfant, il comprend à son regard détaché que cette femme n'est pas sa mère mais sa nourrice. L'enfant est le fils de Joseph d'Arimathie, membre du Sanhédrin et l'un de ses disciples secrets. Celui-là même qui lui offrira son propre tombeau pour qu'y soit entreposé son corps après la crucifixion. Jésus n'échappera pas à sa destinée. Il ne le souhaite d'ailleurs pas, mais voulait seulement reprendre son souffle. Il aura besoin de forces pour supporter le supplice qui l'attend.

– Si les gardes qui me traquent t'interrogent, dit-il à la nourrice, fais-moi gagner un peu de temps. Pose-leur des questions à mon sujet, mais ne me dénonce pas.

Assise sur les marches, appuyée contre une colonne, la nourrice ne lui répond pas. Elle ramène son manteau sur sa poitrine dénudée pour maintenir l'enfant au chaud et baisse les yeux.

Jésus se réfugie dans le vestibule de Salomon et se cache dans la forêt de colonnes. Quelques derniers instants d'ombre et de quiétude. Accroupi, il embrasse du regard la vallée du Cédron et cherche à apercevoir le jardin de Gethsémani où se rassemblaient ses disciples. Mais ce temps-là est déjà loin. Du mont des Oliviers qui se dresse face à lui, il avait annoncé à ses disciples la fin de la mort. Mais le mont des Oliviers n'est-il pas également désigné comme le mont de la Destruction ? se dit-il, alors que la troupe armée entoure bruyamment la nourrice. Les gardes surgissent et interrogent la femme. Elle ne répond pas mais, d'un signe des yeux, indique la direction du portique de Salomon. Ils se précipitent et cernent rapidement leur proie. Pour punir le Galiléen de s'être échappé, les gardes font pleuvoir les coups jusqu'à ce que leur fureur s'épuise. Puis ils l'entravent.

– Ne pouvais-tu patienter quelques instants ? reproche Jésus à la nourrice alors que la troupe le traîne devant le tribunal où l'attend le préfet Pilate.

Après tout, la nourrice aurait pu lui procurer un petit répit !

– Pour le mal que tu m'as fait, tu te transformeras en pierre, et tu ne quitteras plus cette rue de Jérusalem ! lance-t-il.

Ébranlés par le ton de cette malédiction, les gardes accélèrent le pas. Plus vite ils se débarrasseront de ce magicien, mieux ce sera ! Est-ce la curiosité ou l'effroi, en tout cas les gardes ne résistent pas à se retourner pour vérifier si la femme a bien été ensorcelée. Ils l'aperçoivent. Elle se trouve toujours au même endroit. Enveloppée dans son manteau sombre, elle ne bouge pas du milieu de la rue.

– Le magicien galiléen l'a transformée en rocher ! concluent-ils.

Au souvenir de la femme de Loth transformée en statue de sel avant la destruction de Sodome et de Gomorrhe, les gardes épouvantés se demandent si la fin du monde n'est pas imminente.

La sentence de Pilate

« Tu es donc roi ? – Oui, je suis roi. Mais mon royaume n'est pas de ce monde… Si mon royaume était de ce monde mes serviteurs auraient résisté et je n'aurais pas été capturé. »

(*Évangile de Nicomède*, 3)

Acariâtre, insolent, cruel et cupide, le préfet Pilate obéit à la lettre aux ordres de Tibère. « Abolir les lois des Juifs ! » Voilà sa mission. Son premier acte ne fut-il pas d'introduire dans l'enceinte du Temple des enseignes et des boucliers dorés en hommage à César ? Une délégation était venue à Césarée demander le retrait de ces images infamantes. Pilate avait cédé, mais il avait prélevé une partie du trésor sacré du Temple pour la construction d'un aqueduc. Piller les richesses, assécher les âmes, Pilate fait preuve, dans l'asservissement des vaincus, d'une habileté égale à son impiété. Une épine pourtant est venue se glisser dans sa politique : Jésus l'agitateur de foules, dont l'aura ne cesse de grandir.

Une nuit, sa propre femme, Claudia Procula, prétend avoir reçu en songe une vision de cet homme, un véritable cauchemar qui ne la quitte plus. Elle lui a décrit le Nazaréen souffrant, agonisant sur une croix. Une couronne de ronces sur la tête, son sang ruissellait sur ses yeux comme l'huile de l'onction divine sur David. De sa plaie sur le côté coulait un filet d'eau et de sang. Le supplicié avait du mal à respirer. « Mon père, mon Père, pourquoi m'as-tu abandonné ? » criait-il à Procula dans son rêve.

« Pourquoi cet homme juste devrait-il subir un tel châtiment ? » proteste-t-elle depuis sans relâche. Désespérée, elle a multiplié les courriers au Grand prêtre et aux scribes du temple, menaçant de se donner la mort ainsi qu'à toute sa maisonnée si Jésus était condamné. Acquise à la foi juive, disciple inconditionnelle de l'homme en lequel elle reconnaît le Messie, Procula insiste auprès de Pilate et des autorités du Temple pour obtenir sa libération. « Les miracles qu'il accomplit sont plus grands que les dieux que nous vénérons ! » argumente-t-elle.

Mais rien n'y fait. « Procula a été ensorcelée par Jésus », ont conclu les prêtres, se moquant de sa promesse de se sacrifier pour sauver le Nazaréen. Aux yeux de Pilate, le Nazaréen est un danger politique, un agitateur capable de provoquer une grande révolte. Il estime à son tour que Procula, comme toutes les femmes, est frappée d'*impotentia muliebris*, cette absence de raison propre aux femmes. « *Quos vult perdere Jupiter prius demendat* », « Ceux que Jupiter veut perdre, il les rend d'abord fous », déplore-t-il, citant le mot de Sophocle. Il craint que sa femme ne se fasse l'artisan de son propre malheur.

C'est pourtant Procula qui a fait sa carrière. Il semble l'avoir oublié. Patricienne, appartenant à l'excellente *gens* Claudia, Procula dont le nom signifie « née en l'absence de son père » est la fille illégitime de Julia, seconde épouse de l'empereur Tibère et petite-fille de son prédécesseur Auguste. Elle est la première femme non juive et citoyenne romaine à rejoindre le culte du *Christos*. Une raison de plus pour se montrer inflexible. Le pouvoir de ce magicien devient trop étendu pour être toléré. Ce Nazaréen doit être éliminé de la surface de la terre. Si ce n'est pas pour les Romains, que ce soit pour sa famille !

*

* *

Partagé entre joie et fureur, Pilate serre dans une main la lettre que Claudia Procula, sa femme, lui a fait parvenir. L'annonce de la guérison soudaine de leurs deux filles, muettes de naissance, l'a ébranlé. Makara et Dorta ont retrouvé la parole à l'instant où le procès de Jésus a été décidé. Dans sa missive, Procula rapporte à Pilate leurs premiers mots : « Si tu ne veux pas être livré aux anges des ténèbres et de l'enfer, ne te rends pas complice de la crucifixion du fils de Dieu, car c'est lui qui te jugera le jour de la rétribution. »

Cet avertissement stupéfiant conforte chacun dans sa position. Claudia Procula voit dans leur merveilleuse guérison un signe de la nature divine de Jésus. Pilate n'y décèle que la preuve de l'habileté de ce magicien ; un enchanteur vendu au Prince des démons, Baal Zeboub, usant d'artifices pour manipuler les personnes les plus crédules. Un homme dangereux. Ponce Pilate est désormais plus que jamais décidé à mettre un terme aux agissements du Galiléen. Cet homme se révèle de toutes façons dangereux pour le peuple autant que pour Rome. Le préfet a pris la mesure de l'influence du prédicateur, dans tous les milieux. Il avait besoin que Jésus soit déféré sur la demande du Sanhédrin – une façon habile de paraître innocent et de se soustraire à la colère populaire. Voici chose faite.

Ce matin, juste avant que ne débute le procès du Nazaréen, Procula est retournée une nouvelle fois auprès de son mari, inquiète pour Jésus, mais aussi inquiète pour lui.

– Fais en sorte qu'il ne se produise rien de mauvais entre cet homme et toi, conseille Procula. C'est un juste. Si tu le fais couler, son sang retombera sur toi, n'en doute pas !

*
* *

Fébrile, la foule se rassemble dans la salle de justice du prétoire. De la demeure du préfet, située dans l'ancien palais d'Hérode à l'ouest de la ville haute, Rome administre ses conquêtes. Le *prætorium**, ancien terme pour désigner dans le camp romain – un périmètre de cent pieds autour du quartier général – rappelle à ceux qui pourraient l'oublier que Jérusalem conquise se trouve à la merci de ses conquérants. Malheur aux vaincus quand la justice d'un peuple est aux mains de ses oppresseurs !

Les Juifs venus assister à l'audience de Jésus incarnent ce que Pilate craint le plus, une population incontrôlable capable d'exploser à tout moment avec la violence d'un orage d'été. Les périodes de pèlerinage, trois dans l'année, font de Jérusalem un véritable volcan spirituel. Les fidèles font parfois le voyage des confins de l'Empire. L'exaltation est palpable. Les cent vingt mille habitants de Jérusalem sont noyés dans une foule disparate d'un million de fidèles ivres de foi. La barbe fière, le cœur ardent, leur proximité avec le lieu le plus saint du monde attise leur dégoût de Rome. À la moindre étincelle, le volcan entrera en éruption. Sa lave enflammera rapidement toutes les régions d'Israël. Ses cendres s'élèveront si haut dans le ciel qu'elles recouvriront les temples jusqu'à Rome. Une perspective que Pilate ne prend pas à la légère. Comme pour chaque pèlerinage, il a renforcé les légions autour de Jérusalem. La garnison installée dans la citadelle Antonia qui surplombe le Temple a été mise en alerte. Par prudence supplémentaire, le préfet a augmenté le nombre de légionnaires en charge de la protection du prétoire. Les Juifs peuvent tout autant se battre entre eux que se retourner comme un seul homme contre lui.

Entravé, le visage tuméfié, Jésus grimpe à petits pas les vingt-huit marches de l'escalier du palais. Pour économiser ses forces, il s'arrête régulièrement. Son dos strié de fines lanières de sang et d'eau attire les plaintes. Il respire avec peine. Mais son regard n'a pas changé, noir, aiguisé, léger, Jésus fait son entrée. Est-ce par respect, sous la pression populaire ou contraints par une puissance surnaturelle, mais les légionnaires inclinent leurs enseignes, provoquant la colère de Pilate. Une fois arrivé en haut de l'interminable escalier, Jésus scrute ses juges, sonde leurs reins et leurs cœurs puis se tourne vers son peuple. Certains se frappent la poitrine pour montrer leur peine, d'autres couchent leur manteau devant lui afin qu'il ne foule pas ce sol indigne de sa pureté. Des prêtres aux barbes imposantes l'insultent et le maudissent tandis que des disciples crient leur ferveur.

– Hosanna ! Hosanna ! supplient-ils. Sauve-nous ! De grâce, sauve-nous !

– Béni soit celui qui vient au nom de Yahvé !

Une prière qui annonce à Pilate qu'il ne sera pas si facile de condamner cet homme à mort. Pourtant le préfet l'a bien compris, la division des Juifs est son meilleur allié. Entretenir ces oppositions garantit la *Pax romana*.

En fait, Pilate doit maintenir un savant équilibre entre les quatre philosophies juives qui s'opposent à Jérusalem.

Les sadducéens* – la classe sacerdotale dont les grands prêtres sont nommés par Rome – cherchent l'apaisement avec l'obsession de préserver le Temple de la destruction. Les prêtres et les scribes, prêts à s'accommoder du joug romain – qui ne dure que parce Yahvé en a décidé ainsi –, connaissent la capacité de leur peuple à s'embraser. Ils voient augmenter avec inquiétude la pression galiléenne pour une révolte contre Rome. Jésus, comme Jean le Baptiste avant lui ou Judas le Galiléen il y a une trentaine d'années, représente à leurs yeux une terrible menace d'insurrection, avec son cortège de souffrances et de morts.

Les pharisiens privilégient l'étude de la loi orale comme instrument de résistance à la disparition. Les esséniens qui ne reconnaissent plus la sacralité d'un temple terrestre au profit d'un sanctuaire oscillent entre vie monastique dans le désert et guerre sainte. Enfin les zélotes, prêts à mourir pour purifier la Terre promise et hâter la venue du Sauveur annoncé par les prophètes, ne reconnaissent aucun autre maître que Dieu, refusent le paiement de la taxe imposée par Rome qu'ils considèrent comme une preuve impie de leur asservissement, et appellent de leurs vœux une révolte armée.

Dans le brouhaha, les prêtres reprochent à Jésus d'avoir accompli des guérisons prodigieuses durant le shabbat. Preuve que son pouvoir vient de Baal Zeboub*, Prince des démons, et non de Yahvé.

– La Loi nous interdit de guérir le jour du shabbat ! insiste le Grand prêtre. Jésus est un magicien, rien de plus !

Un argument qui ne convainc personne, pas même ceux qui l'avancent. Moïse n'avait-il pas accompli des prodiges pour persuader Pharaon de libérer les Hébreux ? Fallait-il condamner le prophète pour s'être opposé aux magiciens égyptiens avec leurs armes ? Soudain, des témoins se pressent pour prendre la parole. Un vieil homme explique qu'après trente-huit ans cloué sur un lit, incapable de bouger, de se lever ou de marcher, Jésus l'a guéri.

– Ma famille m'emmena à lui. Le fils de David fut touché par ma souffrance et me guérit aussitôt, dit-il en larmes.

– Quel jour était-ce ? insiste un prêtre, l'accusation en bandoulière.

– C'était le jour du shabbat ! N'est-ce pas une bénédiction que de sauver une vie ce jour béni de la fondation du monde ?

Un autre homme se presse pour raconter son histoire.

– J'étais aveugle depuis ma naissance ! J'ai supplié Jésus fils de David et il a eu pitié de moi, annonce-t-il en désignant ses yeux. Depuis, je vois !

La foule s'agite. Les légionnaires, nerveux, brandissent leurs lances.

– J'étais lépreux ! crie un homme. Regardez mon visage maintenant ! Le fils de David m'a guéri !

Une jeune femme fend la foule, fière, victorieuse. À l'évidence, elle fait partie de ces femmes qui suivent le Nazaréen. Se croit-elle l'égale des hommes, en entrant dans ce tribunal sans être accompagnée ? se demande le Grand prêtre.

En croisant Jésus, Véronique* baisse les yeux, puis fait face à ses juges.

– Le sang a coulé sans interruption de mon corps pendant douze ans, explique-t-elle. J'étais impure en permanence…

Elle plonge un regard insolent dans celui du prêtre.

– Impure… c'est ce que les hommes disent ! Mon mari ne pouvait me toucher, partager mon lit ou manger la nourriture que je préparais. Stérile, j'étais une morte vivante.

Véronique avance de quelques pas vers le Grand prêtre jusqu'à se trouver nez à nez avec lui.

– Jésus a touché mon manteau et le flux de sang s'est arrêté !

Imperturbable, le pontife a écouté sans l'interrompre le témoignage de Véronique.

– Ni esclave, ni enfant, ni femme ne sont aptes à témoigner, conclut-il sans un regard dans sa direction.

De la foule jaillissent des protestations tandis que Véronique quitte la salle. Ses paroles n'ont aucun poids juridique, mais pour l'assistance, cette femme a démontré le pouvoir immense du Galiléen.

– Il a ressuscité Lazare ! lancent les uns.

– Jésus est un prophète, il n'est pas soumis aux démons ! Au contraire, il déjoue les desseins des esprits malins !

À l'évidence, malgré ses divisions, le peuple de Jérusalem – excepté les prêtres du Temple – n'appelle pas à la condamnation du Galiléen. Il est peut-être convaincu de son essence divine, ou tout simplement effrayé à l'idée qu'il lance un sort vengeur.

Troublé par la fièvre qui a envahi le prétoire, Ponce Pilate descend de son siège et s'approche du Nazaréen. Habile politicien, il a décidé de s'attaquer uniquement à l'attitude insurrectionnelle du Nazaréen. Comme pour endormir sa méfiance, il commence par lui reprocher de prôner le non-paiement des taxes impériales, preuve à ses yeux que cet agitateur se prétend au-dessus de la loi romaine. Jésus garde le silence. Pilate est bien décidé à se débarrasser définitivement de ce fauteur de troubles. Mais il veut le faire sans s'attirer les foudres des pèlerins ou les remontrances de César.

Les propos de Jésus qui lui ont déjà été rapportés lui paraissent suffisamment inquiétants et passibles de sanctions. « La seule autorité à laquelle nous obéissons vient d'en haut ! » Une déclaration satisfaisant les zélotes qui clament ne pas connaître d'autre roi que Dieu, mais révolte Pilate. Ces fanatiques n'acceptent pas l'autorité de César sur la nation d'Israël et se préparent à une guerre sainte contre Rome ! Une révolte que Pilate est décidé à étouffer dans l'œuf.

– Sais-tu que j'ai le pouvoir de te faire mourir ou de te faire vivre ? menace Pilate.

La peur anesthésiée par les coups, le courage ravivé par l'immensité de sa mission, Jésus se tourne vers l'assemblée.

– Je suis venu sauver les hommes des griffes de Satan, prévient-il.

Puis il s'adresse à Pilate.

– D'où tiens-tu ce pouvoir dont tu te vantes, si ce n'est du Ciel ?

Son visage s'illumine. Dans l'assemblée, chacun remarque la beauté soudaine de son visage. Les plaies marquent toujours sa face, mais elles brillent comme autant de signes de son message. Décontenancé, le préfet poursuit néanmoins son interrogatoire.

– Es-tu le roi des Juifs ? demande-t-il. C'est tout ce que je veux savoir de toi.

– Mon royaume n'est pas de ce monde, répond Jésus.

– Alors, tu prétends bien être roi ! conclut le préfet.

– Oui, je suis roi ! concède Jésus, scellant d'une phrase la certitude d'être supplicié.

Peu importe à Pilate que Jésus soit le fils de Dieu, qu'il guérisse durant le shabbat ou tout autre jour, qu'il soit prophète ou enchanteur. Mais il refuse que Jésus soit considéré comme le roi des Juifs par ses fidèles.

Pour en avoir le cœur net, Pilate a envoyé un message à Hérode Antipas, il y a une semaine, au lendemain de l'entrée de Jésus à Jérusalem. Celui-là même qui condamna à mort Jean le Baptiste. En charge de la Galilée, l'Iduméen n'a – à son grand regret – aucun pouvoir sur la Judée, mais il connaît bien la philosophie des Galiléens. Ce ne sont à ses yeux que des agitateurs, des fauteurs de trouble capables de faire basculer des foules vers l'insurrection.

« Nous n'avons qu'un seul roi, et c'est César, lui a écrit Antipas. Cet homme ne reconnaît ni l'autorité de Rome, ni celle de Tibère ! » Puis Hérode Antipas a rappelé à Pilate que Jésus se prétendait fils de Dieu et roi de la nation d'Israël. « Flagelle-le jusqu'au sang puis crucifie-le ! » a conclu Hérode Antipas.

Pilate interroge à leur tour des Juifs présents dans le tribunal. Les uns considèrent Jésus comme un magicien, d'autres affirment sa naissance prodigieuse. Il va devoir trancher. Mais comment condamner Jésus sans provoquer une réaction violente de ses partisans ?

Jésus connaissait le risque encouru lorsqu'il entra dans Jérusalem porté par l'âne de Balaam. C'était une double déclaration de guerre. Envers le clergé d'abord, en revendiquant sa nature messianique. Envers Tibère et Ponce Pilate ensuite, en revendiquant la couronne terrestre de David. Le jugement de Pilate est le même que celui du Grand prêtre : cet homme est très dangereux.

Le préfet retourne prendre place sur son trône. La foule fait aussitôt silence. La sentence va être prononcée. Pilate se lave les mains avec de l'eau vive, comme le veut la tradition juive. Puis il ordonne à Jésus d'approcher.

Marchant avec difficulté, Jésus s'avance. Le corps chancelant, l'esprit déjà ailleurs, il écoute le verdict du préfet.

– Ton peuple semble te considérer comme un roi. Toi-même m'as avoué être roi des Juifs ! C'est pourquoi j'ordonne que tu reçoives quarante coups de bâton, que tu sois humilié publiquement et qu'ensuite tu sois crucifié.

L'assemblée silencieuse commence à trembler de peur que le sang de cet homme saint ne retombe sur son peuple. Pilate ne s'arrête pas à la délivrance de sa sentence. Il veut immédiatement ridiculiser le charpentier de Nazareth qui prétend être roi de Judée ! Il donne l'ordre d'inscrire sur un écriteau, en hébreu, en latin et en grec, le motif de son supplice : « Celui-ci est le roi des Juifs. »

– Je préfère que tu inscrives « Celui-ci se prétendait roi des Juifs », propose Caïphe.

Pilate déteste les prêtres autant que les autres Juifs. Il n'a aucune envie d'accéder à la demande de Caïphe.

– Ce que j'ai écrit est écrit ! répond-il.

Puis il fait poser une couronne d'épines sur la tête de Jésus et place dans sa main droite un roseau en guise de sceptre.

Mais où sont passés les apôtres ?

« Lorsque Marie vit son fils unique suspendu au bois de la croix, ses yeux ne purent retenir les larmes. »

(*Le Livre du Coq*, 9,12)

Bouleversée, Marie gravit en tremblant le mont du Crâne. Ténébreuse, elle avance en pleurant le destin de son fils. Jean, qui a assisté toute la journée au supplice de

Jésus, s'est hâté d'aller la chercher. Il n'y a pas de temps à perdre. La fin semble proche. Comment annoncer à Marie que son fils a été crucifié ?

– Il faut que tu le voies avant que ses bourreaux ne l'achèvent, avoue-t-il entre deux sanglots.

Les jambes de Marie se dérobent sous sa peine. Son cœur défaille. Elle tombe face contre terre. L'âme brûlée, elle espère mourir sur-le-champ pour que ses yeux ne voient pas la souffrance de son fils unique. Mais elle doit faire face. Son cœur de mère saigne déjà à l'idée que son fils n'a rien fait de mal pour mériter ce châtiment. « Ma présence seule pourra l'innocenter », se dit-elle pour se redonner des forces.

Jean l'aide à se relever. Le visage livide, le corps glacé, l'âme sur le point de s'échapper, elle verse des larmes amères. Jean essaie de la réconforter. Mais il ne parvient qu'à pleurer avec elle. Il ne lui dit pas que les Romains se sont enivrés pour mener à bien la mise à mort. Ils l'ont injurié, lui ont craché au visage, l'ont giflé, mais Jésus est resté silencieux. Déjà ailleurs, il a laissé sans réagir ses bourreaux le déshabiller et se partager ses vêtements. La tunique qu'il porte depuis son enfance et qui a grandi avec lui échoit à Pilate. Le préfet espère que ce linge magique le protégera des esprits démoniaques. Puis, pour cacher la nudité de son sexe circoncis, les légionnaires ont ceint ses reins d'un linge écarlate. Appuyé contre un arbre pour ne pas tomber à genoux sous le poids de sa peine, Jean a assisté à toute la scène, du commencement à la fin. Il a gravé dans sa chair chaque étape du supplice de Jésus pour pouvoir le raconter, mais devant Marie il ne dit rien qui puisse la faire souffrir davantage.

– Il a tout enduré en silence, parvient-il seulement à lui confier.

Méthodiques, les cinq légionnaires ont aligné leurs outils de mort devant le gibet. L'un a porté les clous, un second le bois de la croix, un troisième une éponge, un quatrième une coupe de vinaigre et un cinquième une lance dont il ne cesse d'aiguiser la pointe.

Ils attachent ses mains et les clouent sur le *patibulum*, la partie transversale de la croix. Puis, sur le poteau vertical, ils clouent ses pieds l'un sur l'autre. Enfin, ils fixent le *titulus* rédigé par Pilate : « Celui-ci est le roi des Juifs », un supplice infamant pour un homme qui voulut être roi. L'espoir est interdit ! Voilà le message que le préfet veut délivrer aux Juifs.

L'âme au bord des lèvres, Jean prend Marie par le bras, pour la soutenir mais aussi pour se donner du courage.

– Venez, vous toutes les femmes qui avez enfanté ! Venez connaître les souffrances qu'endure mon fils ! se lamente-t-elle.

Marie n'a pas à insister. Une troupe de femmes s'est déjà rassemblée pour l'accompagner jusqu'au Golgotha. Marie de Magdala, Marthe et sa sœur Marie de Béthanie, Salomé, ainsi que de nombreuses jeunes filles viennent pleurer avec une mère les souffrances injustes d'un fils.

Pas un homme, pas un disciple si ce n'est Jean. Mais où sont passés les apôtres ? se demande Marie. Ils se sont envolés comme une troupe de cailles effrayées par un épouvantail. Depuis l'arrestation de Jésus au jardin de Gethsémani, ils ont tous disparu. Si Pierre, honteux, a suivi de loin le prisonnier, seul Jean n'a pas hésité à entrer dans la cour de la prison. Aujourd'hui, l'ancien disciple de

Jean le Baptiste est le seul des apôtres à assister au supplice de leur maître. Les autres sont retournés chez eux. Certains se sont déjà remis à la pêche sur la mer de Galilée. Ils ont fui et tentent de se faire oublier autant que de s'oublier eux-mêmes.

*

* *

– Où est mon fils ? demande Marie en arrivant au sommet du mont du Crâne.

Une foule de badauds se presse pour mieux voir les suppliciés. Des dizaines de légionnaires à la cuirasse flamboyante empêchent l'accès aux gibets. Ils craignent un sursaut d'orgueil de la part des Juifs et une tentative de libérer le Nazaréen. Mais rien ! Pas une protestation. Pas un geste. Est-ce de la soumission, ou bien la conviction que seul Dieu décide ?

– Vois-tu celui qui porte une couronne d'épines ? C'est ton fils, répond Jean en pointant Jésus du doigt.

Les femmes qui l'entourent se mettent à pleurer. Marie, interdite, reconnaît les deux brigands qui avaient renoncé à les dépouiller lors de leur fuite en Égypte. « Ces deux voleurs seront crucifiés en même temps que moi », lui avait annoncé Jésus. Il n'était encore qu'un enfant, se dit-elle. Bouleversée, elle se fraye un chemin à travers les curieux. Elle veut se trouver le plus près possible de son fils. Elle veut le serrer dans ses bras et le couvrir de baisers.

– Penche-toi vers moi, croix, afin que j'enlace mon enfant ! lance Marie. N'est-ce pas le rôle d'une mère de se joindre à son fils quand il souffre ?

Les curieux ne voient que trois corps nus plantés entre ciel et terre. Des hommes aux destins malheureux, souffrant leurs dernières heures comme un avertissement. Combien d'erreurs un homme doit-il commettre pour se retrouver crucifié sur le Golgotha ? Les badauds en tremblent pour leur propre carcasse.

Marie, elle, ne voit que son enfant. En découvrant son fils livré à la sauvagerie des hommes, elle pense à ses moments d'innocence. Dans son regard noyé de sang et de sueur, elle retrouve l'éclat de ses cinq ans. Il joue. Il rit. Il trépigne d'impatience. Connaissait-il déjà le sort qui l'attendait ? Aurait-elle pu lui éviter tant de souffrances ? Son enfant, comme tous les enfants, était pur des souillures du monde. « Proches de la source de la vie, les enfants sont l'expression de notre éternité. Ils sont notre forteresse ! dit-elle à Jean. J'espère que l'enfant prodigieux qu'il était protège l'adulte qu'il est devenu. »

Les badauds, dérangés par les lamentations de Marie, tentent de la chasser. Mais elle ne se laisse pas faire.

– Tuez-moi d'abord si vous voulez me faire taire ! crie-t-elle.

L'accès au lieu des supplices n'est pas permis aux femmes, mais devant sa douleur les légionnaires s'écartent pour laisser passer Marie vers les croix. Avant de parcourir les derniers pas, elle s'arrête et s'adresse à la foule.

– Où sont passés ceux que mon fils a guéris ? s'étonne-t-elle. Où sont ceux qu'il a ressuscités ?

Les curieux se taisent, honteux pour ceux qui sont absents.

– Où sont les aveugles auxquels tu as rendu la vie ? Où sont les paralytiques, les sourds et les muets que tu as guéris ? Marthe et sa sœur Myriam sont là, mais où se trouve Lazare ? Tes disciples se targuaient de vouloir mourir pour toi ! Où se sont-ils cachés ? Il ne s'est pas trouvé un homme pour te secourir ! reproche-t-elle.

Marie fixe la croix.

– Je pleure parce que tu souffres, avoue-t-elle.

Son fils tourne la tête vers elle et voit Jean qui se tient à ses côtés. L'apôtre qu'il aime le plus et n'a jamais faibli. Alors il lui confie la personne la plus précieuse à ses yeux.

– Voici ton fils, dit-il à Marie.

Puis il s'adresse à Jean.

– Voici ta mère.

Les femmes qui entourent Marie se frappent la poitrine, pleurant la mort amère que Jésus reçoit en rétribution des bienfaits qu'il a accomplis. Marie de Magdala les console : « Nous pleurons et nous lamentons comme une femme sur le point d'accoucher. Mais quand l'enfant vient, toute la peine est oubliée. »

– Si tu es le fils de Dieu, sauve-toi et sauve-nous ! lance le brigand crucifié à la gauche de Jésus.

L'autre brigand, celui-là même qui avait jadis convaincu son complice de les épargner, fait preuve d'une confiance qui étonne Marie.

– Lorsque tu seras roi, ne m'oublie pas !

Jésus le lui promet.

– Tu seras avec moi au paradis.

Marie est soudain submergée par les souvenirs de l'enfance de Jésus. Un temps joyeux malgré les terribles moments qu'ils ont vécus. Lors de leur fuite en Égypte, ils avaient croisé le chemin de ces deux brigands, et Jésus l'avait avertie de leur fin tragique. Marie n'avait pas voulu le croire. « Aurais-je pu empêcher le déroulement de son destin ? se reproche-t-elle. Nous étions tellement heureux alors... » Les jeux insouciants de Jésus lui paraissent désormais des prémonitions. Un long chemin menant à ce seul moment. « Les enfants sont immortels », se dit-elle enfin, en contemplant son fils agonisant sur la croix.

Les badauds vont et viennent en attendant la mise à mort. Ils attendent avec impatience les légionnaires chargés de briser les jambes des suppliciés. Pourvu que tout soit terminé avant que ne commence le shabbat, espèrent-ils. Car il leur faut retourner chez eux avant l'apparition de la première étoile dans le ciel. Impatients, ils se moquent de Jésus.

– Si tu es le fils de Dieu, pourquoi ne descends-tu pas de ta croix ? se moquent-ils.

D'autres ironisent sur ses guérisons miraculeuses.

– Pourquoi ne te soignes-tu pas toi-même ?

Bouleversée, Marie ne sait plus quoi faire d'autre que pleurer. Chaque sarcasme ébranle un peu plus son cœur. Elle a surpris la lame aiguisée destinée à percer le corps de son fils. Les légionnaires ont hâte d'en finir. Marie est prête à laisser s'échapper son âme et à périr pour ne pas endurer plus longtemps l'agonie de son enfant. Mais Jésus ne veut pas que sa mère souffre en même temps que lui. Il veut lui éviter d'assister au dénouement de son agonie. Marie ne doit pas voir le légionnaire percer son corps, ni l'abreuver de vinaigre amer. Sa mère en mourrait avant lui ! Alors il baisse le regard vers Jean.

– Prends ma mère et conduis-la chez toi, dit-il.

Malgré ses protestations, se pleurs et ses cris, Marie est emmenée loin du Golgotha. Elle ne verra rien de ce que Jésus va subir ensuite.

L'heure approche. Le Nazaréen n'a pas eu les jambes brisées. Pas de clémence de la part des Romains. Son asphyxie s'annonce longue et douloureuse. Un légionnaire nommé Longin vérifie d'un coup de lance au côté si Jésus est encore en vie. De l'eau et du sang s'échappent abondamment de la plaie.

La loi juive interdit que le corps d'un condamné reste exposé après le coucher du soleil. Pilate, lui, préfère en finir avec Jésus avant la célébration de la Pâque et l'accomplissement des sacrifices au Temple. Des instants chargés d'émotions propices aux débordements et aux mouvements de foule.

– J'ai soif, dit Jésus simplement.

Un légionnaire fixe au bout d'un roseau une éponge imbibée de vinaigre, de myrrhe et de fiel, et l'appuie sur sa bouche. Mais Jésus refuse de boire, de crainte de retarder son trépas.

*

* *

Jean a raccompagné Marie chez lui. Sa peine a ébranlé son courage. Réfugié dans une grotte du mont des Oliviers, il ne peut retenir ses larmes. À quelques pas, son maître vit dans la souffrance les derniers instants de sa vie sur terre. Soudain, alors qu'il se lamente dans l'obscurité, la grotte s'illumine. Jésus lui apparaît. Est-ce un rêve, une hallucination, ou Jésus est-il vraiment venu jusqu'à lui ?

– Je ne souffre pas comme les gens le croient, lui explique-t-il.

Alors que son agonie se poursuit sur le mont du Crâne, ici Jésus veut instruire le disciple qu'il aime le plus.

– Cher Jean, en bas, ils me crucifient, ils m'ont percé d'un coup de lance et ont voulu m'abreuver de vinaigre et de fiel. Mais ici, rien de tout cela n'est vrai.

Jean n'en croit ni ses yeux, ni ses oreilles. Stupéfait, il contemple son maître resplendissant lui parler comme si cet horrible supplice n'était pas en train de se dérouler.

– Regarde cette croix, reprend Jésus en montrant à Jean une croix lumineuse. Cette croix n'est pas la croix de bois que tu as vue sur le Golgotha.

Jean écoute avec attention. Il assiste au dernier enseignement de Jésus avant sa mort et en mesure l'importance. Sur la croix lumineuse, il devine le corps de Jésus mais entend clairement sa voix.

– Je ne suis pas celui qui est sur la croix, annonce Jésus. Les gens me comprennent tel que je ne suis pas.

La voix lumineuse envahit la grotte.

– C'est cette croix de lumière qui est la vraie, explique-t-il. Elle est composée d'harmonie et de sagesse.

Puis, avant que la croix de lumière ne s'évanouisse, la voix de Jésus scintille une dernière fois dans la grotte.

– Ils m'ont cloué sur la croix, mon sang a coulé, mais ils ne me connaissent pas. Moi seul sais qui je suis.

La pénombre revient subitement dans la grotte. Soulagé, Jean retrouve le courage de retourner sur le Golgotha. Il sait que, sous la pression des gardes du Temple, les soldats voudront accélérer la mort de Jésus avant que le soleil ne soit couché.

Entre la sixième et la neuvième heure du vendredi, le soleil s'assombrit.

– Mon Père, mon Père, pourquoi m'as-tu abandonné ? s'écrie Jésus dans un dernier souffle.

À la neuvième heure, il incline la tête vers le brigand crucifié à sa droite, puis rend l'âme. Aussitôt le soleil s'obscurcit. Un tremblement de terre frappe la région. Des rochers se fendent, les tombes se brisent et le rideau du Temple que Marie avait brodé dans son enfance se déchire.

La mort de Judas l'Iscariote

« Judas leva les yeux et vit la nuée lumineuse. »

(*Évangile de Judas*, 58)

Les remords sont parfois plus forts que la raison. Judas a hâte d'entrer dans le royaume divin. Il fait partie des rares initiés qui par la connaissance des mystères révélés par Jésus ont accès au Salut. Judas fait partie des « Parfaits » et pour cela sera maudit par des générations d'imparfaits. Peut-être n'est-il plus prêt à assumer cette souffrance ! Peut-être que voir Jésus sans défense, maltraité et battu, entaille sa foi ! Pourquoi Jésus ne se défend-il pas ? Pourquoi ne fait-il pas disparaître ses ennemis d'un geste, d'une parole, comme il le faisait jadis en ressuscitant des morts ? Le temps des prodiges est-il épuisé ?

Judas n'a pas conservé les trente deniers de sa douloureuse action. Il les a confiés à sa femme qui les a utilisés pour l'acquisition d'un champ situé à la rencontre de la vallée des fils d'Hinnom, l'effroyable Géhenne*, et de la vallée du Cédron. Ce champ du Potier se trouve à l'intersection de l'enfer et du paradis, creusé de grottes funéraires destinées aux Juifs sans ressources de la diaspora. D'un côté, la Géhenne où jadis les idolâtres jetaient des enfants dans des brasiers en offrande à leur dieu Moloch, de l'autre le Cédron, ce torrent merveilleux qui trace la limite sacrée de Jérusalem, identifié à la vallée de la Décision, lieu du Jugement dernier de l'ensemble des nations par Yahvé. Quel meilleur endroit que ce champ du Potier pour expier ses doutes ?

Judas est bien tenté d'accrocher une corde à un arbre et de s'y pendre jusqu'à son dernier souffle. Un seul dans l'histoire d'Israël se suicida de cette façon : Ahitophel*, grand-père de Bethsabée – la mère de Salomon –, qui trahit le roi David dont il était pourtant le plus proche conseiller. Ahitophel prit parti pour le prince Absalom qui revendiquait la couronne de son père. Absalom vaincu, Ahitophel se pendit dans sa maison. C'est l'unique cas de suicide en un millénaire. Judas va-t-il répéter le geste d'Ahitophel ? Le grand-père de Bethsabée avait trahi David. Judas aura livré à ses ennemis son lointain descendant. Mérite-t-il le même sort ? Mérite-t-il un châtiment plus dur ou, comme Caïn, la protection divine ? Un assassinat peut-être. Une vengeance du sang sans doute. En tout cas, une mort violente en rétribution des souffrances de Jésus.

Une lame fulgurante ouvre le ventre de Judas en son milieu. Il n'a pas vu celui qui l'a frappé. Ses entrailles se répandent et ensanglantent la terre. Une horrible fin qui scelle le passage de Jésus ici bas. Judas, héroïque, a rendu possible la mort physique de Jésus. Son maître peut s'élever vers le royaume céleste. À son tour, l'apôtre préféré, supplicié, échappe à son enveloppe terrestre. N'est-ce pas ce qu'il a toujours espéré ? *Hakel demak*, le champ du Potier, s'appelle désormais le champ de Sang. Mais pour Judas l'Iscariote, il s'agira toujours du champ du Repos.

12

Marie de Magdala

« Ce qui ne vous a pas été donné d'entendre,
je vais vous l'annoncer. »
(*Évangile de Marie*, 10, 8-9)

L'initiée

« Nous savons que notre maître t'a aimée différemment des autres femmes. »

(*Évangile de Marie*, 10, 2)

– On a enlevé le corps de Jésus ! s'écrie la Magdaléenne.

Ce premier jour de la première semaine après la crucifixion, Marie pleine de peine s'est rendue seule, comme chaque matin, se recueillir dans le jardin du pressoir à huile qui vit le supplice et l'ensevelissement de son *Rabbouni*. Le soleil n'est pas encore levé. La lune est visible dans la brume, l'aube se fait désirer. Dans ce moment incertain entre chien et loup, l'initiée découvre la tombe ouverte. Elle n'en croit pas ses yeux. Le rocher qui obstruait l'entrée du tombeau a été roulé sur le côté. Elle se précipite à l'intérieur. Rien ! Si ce n'est un linceul blanc gisant au sol…

– Où le corps de Jésus a-t-il été déplacé ? s'exclame-t-elle bouleversée.

Près de cinq cents légionnaires sont affectés à la garde du tombeau mis à disposition par Joseph d'Arimathie, un sage du Sanhédrin, disciple secret de Jésus. Pilate veut éviter que la tombe de Jésus ne devienne un lieu de pèlerinage, ou pire, de rassemblement pour les agitateurs de plus en plus nombreux qui cherchent à entraîner les Judéens vers une révolte armée contre Rome. Aucun soldat n'a vu les voleurs s'emparer du corps de Jésus. Difficile à croire ! Peut-être s'agit-il d'un complot de Pilate pour effacer toute trace de Jésus sur terre. Affolée, Marie de Magdala se précipite en pleurant avertir les rares apôtres qui n'ont pas fui vers la mer de Galilée.

*

* *

Désemparés, Simon-Pierre, André et Lévi n'ont plus la force de se lamenter. Que vont-ils devenir, maintenant que leur maître a disparu ? L'annonce faite par Marie de Magdala ravive leur passion. Furieux à l'idée que des pilleurs aient pu voler le corps de Jésus, ils en oublient leur peur et se précipitent vers le jardin. Pierre court à en perdre le souffle. Il veut être le premier à voir de ses yeux le tombeau vide. Les légionnaires s'écartent pour laisser passer le petit groupe de disciples. Après tout, si le corps a disparu, que ces exaltés le constatent par eux-mêmes !

Des linges roulés en boule au fond du tombeau, le linceul abandonné précipitamment à terre, la chambre est vide. Les disciples décontenancés se mettent à pleurer à chaudes larmes. Abandonnés dans leur vie par celui qui était leur maître, abandonnés dans sa mort par celui qui était aussi le fils de Dieu, les apôtres se sentent doublement meurtris. Malgré les prodiges qu'il a accomplis, Jésus n'aura échappé ni au supplice, ni à la mort. La profanation de sa dépouille donne un coup de grâce à leurs espoirs. Eux qui ne respiraient que par son enseignement étouffent. Ils n'ont jamais imaginé que leur maître puisse ressusciter d'entre les morts. S'il le leur avait dit, ils ne l'auraient d'ailleurs pas cru. Cette possibilité ne les effleure même pas. Si Jésus avait été sauvé de la mort, cela se saurait. Un char de feu serait descendu du ciel pour l'emporter vivant vers le royaume de son Père. Jésus aurait pu aussi être enlevé de sa croix dans une nuée lumineuse et disparaître au nez des Romains et à la barbe des gardes du Temple. Mais rien de cela ne s'est passé ! Alors, le cœur gros et l'âme au bord des lèvres, les disciples retournent chez eux et ferment leur porte de crainte des représailles des Romains et des moqueries des Judéens.

*

* *

De retour à Jérusalem, les disciples ne se parlent pas. Dans la pièce unique de la maison, ils se tiennent éloignés les uns des autres. La peine et le doute les séparent. Un rideau que Marie de Magdala vient écarter.

– Je vais vous annoncer ce qui jusque-là vous était caché ! annonce-t-elle.

Marie, celle que Jésus aimait, les embrasse. L'un après l'autre, elle les serre dans ses bras, ravivant la tendresse dans leur cœur et l'amour dans leur chair. Sa confiance les éblouit. Elle se tient là pleine de grâce, belle et fière.

Alors qu'eux, honteux, se redressent avec difficulté. Les Romains n'ont pas épargné Jésus. Pourquoi nous épargneraient-ils ? se disent-ils.

Mais Marie sait quelque chose qu'ils ignorent. Elle a vu ce qu'ils n'ont pas vu. Les disciples le ressentent. Est-ce grâce à la signification de son nom, « Myriam » en hébreu, qui évoque une prophétesse ou une voyante ? Pierre se décide à formuler la demande que tous ont sur les lèvres :

– Rapporte-nous les paroles que Jésus t'a réservées et que nous ignorons.

Marie était si proche de leur maître qu'ils sont convaincus qu'elle représentait à ses yeux davantage qu'un disciple, plus qu'une femme, une épouse peut-être, une initiée sans doute. Mais ce que la Magdaléenne va leur annoncer est au-delà de leur espoirs les plus fous.

– Je suis retournée au tombeau, commence-t-elle.

Eux n'ont pas osé. Leur ignorance a eu raison de leur confiance. L'ingratitude doublée d'une « sagesse folle » les envahit, les disciples sont dévorés de colère. Il leur semble que tout s'est passé à leur insu. Le courage de Marie les blesse. L'amour qu'elle leur témoigne les paralyse. Les disciples sont jaloux et ne parviennent pas à le cacher. Dès son arrivée, la Magdaléenne a décelé la faille dans leur cœur, mais ce qu'elle va révéler comblera cette faille pour l'éternité.

– Je l'ai vu ! dit-elle.

Pierre et André haussent les épaules. Ils sont avant tout des pêcheurs. Ils savent par expérience que l'on n'attrape pas de poissons avec des filets trop larges. Lévi, lui, hésite. Il a été élevé dans l'environnement du Temple. À ses yeux, tout ce qui a été énoncé par les prophètes arrivera. Cette croyance est au cœur de sa raison, alors que pour Pierre et André, galiléens dans l'âme, c'est la raison qui se trouve au cœur de leur croyance. Marie ne leur parle pas d'anges et ne mentionne pas qu'elle a d'abord pris Jésus pour un simple jardinier. Après tout, Adam n'avait-il pas en charge l'entretien du jardin d'Éden ?

– Je lui ai parlé !

Les disciples se relèvent et dévisagent la Magdaléenne. La souffrance l'a sans doute rendue folle. Après tout, l'esprit aussi frêle que le corps, les femmes sont instables par nature. Marie est sujette à des hallucinations ! Son imagination lui joue des tours ! Pierre n'en doute pas. Le monde est le théâtre d'une guerre cosmique entre femmes et hommes. André, lui, se pose la vraie question : pourquoi leur maître serait-il apparu pour la première fois à une femme et non à l'un de ses fidèles disciples ? Est-il possible qu'il ait partagé des secrets si essentiels avec elle plutôt qu'avec nous ?

– Que t'a-t-il dit ? demande Pierre, suspicieux.

La Magdaléenne n'est pas dupe, les disciples ne lui ont jamais fait confiance. Pourtant, elle est bien décidée à partager sa connaissance avec eux.

– « Sois heureuse, toi qui ne te troubles pas à ma vue. »

Gênés, les disciples baissent les yeux. Que veut-elle dire ? Eux qui se troublent à la moindre occasion seraient-ils moins dignes qu'elle de revoir Jésus ?

– Que pensez-vous de ces propos ? demande André. Pour ma part, je n'en crois pas un mot !

Pierre ne cache pas ses doutes non plus.

– Pourriez-vous croire que notre maître se soit confié en secret à une femme ? L'aurait-il fait à notre insu ? Cela me paraît impossible !

Marie ne parvient pas à dissimuler sa déception. Comment peuvent-ils penser que je mens ? se dit-elle.

– Pour ceux qui ont foi en notre maître, il n'y a plus ni homme ni femme, mais des êtres enfin complets ! affirme-t-elle.

Lévi, dépité par les propos de Pierre, prend sa défense.

– La femme n'est pas un adversaire ! Notre maître l'a rendue digne de ses paroles. Qui es-tu, pour rejeter Marie ?

– Pourquoi devrions-nous changer nos habitudes et écouter cette femme ? rétorque Pierre.

Lévi n'en doute pas, la compagne du Fils est bien Marie de Magdala. Ils ont connu l'étreinte sacrée et ne se sépareront plus.

– Notre maître nous a enseigné que parmi les esprits impurs il y a autant d'esprits masculins que féminins ! explique-t-il.

L'ignorance qui empêche Pierre de croire les propos de Marie de Magdala l'empêche aussi de reconnaître ses propres erreurs. N'a-t-il pas abandonné femme et enfants pour suivre Jésus, alors que le secret de l'édification du monde réside dans la réunification des âmes femelle et mâle séparées à la naissance ?

– C'est parce que Marie est initiée que Jésus lui voue un amour inconditionnel, reprend Lévi. Notre maître la connaissait mieux que nous et il l'a aimée plus que nous !

Sans le mystère qui unit une femme et un homme, le monde n'existerait pas, se dit Lévi, qui y voit l'acte divin par excellence. Il croit Marie. Que l'annonce de la résurrection de Jésus soit délivrée par une femme est la preuve qui lui suffit. Redevenir entier, à la fois mâle et femelle, c'est bien la condition à la victoire de la vie sur la mort. Le retour au jardin d'Éden. Et c'est tout ce qu'il espère.

– Vous devriez avoir honte ! lance-t-il à Pierre et André. Nous ne deviendrons parfaits qu'en suivant son enseignement. Alors agissons comme il nous l'a indiqué.

Puis, comme pour éviter les interprétations des autres disciples, Lévi répète les propos que leur tint Jésus : « Je ne suis pas venu pour abolir la loi, mais pour l'accomplir. » Pierre et André baissent les yeux pour éviter le regard dérangeant de la Magdaléenne. Lévi profite de ce moment d'éclaircie dans leur cœur pour les convaincre de suivre l'Initiée.

– N'ajoutons aucune nouvelle règle au message de notre maître ! N'imposons aucune loi si ce n'est celle de Moïse ! Et allons proclamer les propos de Marie de Magdala !

13

Le jour des morts vivants

« Ce qui est étonnant n'est pas que Jésus
ait ressuscité, mais qu'il n'ait pas ressuscité seul,
et ait ressuscité de nombreux morts apparus
à Jérusalem. »
(*Évangile de Nicomède*, 17, 1)

La mort vaincue

« Alors les portes de bronze de l'enfer et leurs verrous de fer furent brisés. »

(*Questions de Barthélemy*, 20)

Une rumeur effroyable se répand à travers Jérusalem. Non seulement Jésus le Nazaréen est ressuscité, mais il a ramené de la mort d'autres défunts. Les tombeaux se sont ouverts, libérant les corps inertes. Des morts, vivant à nouveau, déambulent dans la cité. Comme réveillés d'un long et profond sommeil, ils marchent d'un pas hésitant, le regard épouvanté par l'aube qui les a tirés par les pieds du monde souterrain. L'esprit chancelant, ils gardent le silence de peur que cette nouvelle vie ne soit qu'un mirage. De temps à autre, surpris par la vision d'un lieu aimé, ils laissent échapper des cris lugubres. De leurs yeux exorbités ils dévorent les visages des êtres chers. Vieillis, ceux qui ne sont encore jamais morts regardent épouvantés ces revenants du monde souterrain mendier un peu d'amour.

Le mont de l'Onction redevient le théâtre de scènes d'expiation. Jadis une vache au pelage roux y était régulièrement sacrifiée. Son sang répandu à sept reprises en direction du Saint des Saints, la vache rousse était réduite en cendre dans un brasier de bois de cèdre et d'hysope. Ses cendres mêlées à de l'eau de source permettaient de purifier quiconque aurait été en contact avec un cadavre. À ce souvenir, comme des possédés les revenants ivres de vie grimpent la colline vers le Temple. Les prêtres en tombent par terre. Le jour du Jugement a-t-il sonné ?

Le visage livide, Annas et son gendre Caïphe envoient chercher tous les témoins possibles.

– Notre loi est claire sur ce point, explique Annas, deux témoins suffisent à rendre valide la parole d'un seul !

– Aucun témoin n'est venu devant nous confirmer cette rumeur. La seule chose dont nous pouvons être certains est que le Galiléen a été enseveli. Il est donc vraiment mort ! Peu importe que sa tombe soit vide, ajoute Caïphe. Peu importe que d'autres tombes soient vides !

Chamboulé par les propos de lévites à la foi inébranlable et d'hommes à la piété indiscutable, le Grand prêtre ne sait plus quoi penser.

– Après tout, le patriarche Hénoch ne fut-il pas emmené vivant au Ciel par le dieu d'Israël ? rappelle-t-il pour se rassurer.

– Notre prophète Moïse n'a pas de tombe ! lance un prêtre à la recherche d'une explication rationnelle. Alors comment être certain qu'il soit mort ?

– Le prophète Élie ne fut-il pas enlevé au ciel dans un char de feu ? intervient Annas. Ce n'est donc pas la première fois dans notre histoire que Yahvé sauve des impuretés de la mort ceux qu'il aime !

Il leur faut des témoins, ou jamais ils n'en auront le cœur net. Caïphe et Annas pourraient à la limite comprendre que Jésus ait ressuscité. De tels prodiges ont déjà eu lieu. Mais ils s'étonnent que d'autres soient revenus à la vie avec lui. Trop de gens en parlent. Trop de morts seraient apparus à Jérusalem en pleine vie.

*
* *

Le péristyle du *Beth* Hanin, le luxueux palais de la famille d'Annas, s'est rempli d'une foule inquiète et curieuse. La résurrection de Jésus et la rumeur d'autres cas de morts revenus à la vie suscitent de nombreuses questions. Où chercher des réponses si ce n'est auprès de la prestigieuse famille sacerdotale ? Si ce jour est celui du Jugement, autant s'y préparer !

Riche, pieux, respecté, membre du Sanhédrin, Joseph d'Arimathie se présente devant Caïphe. Réjoui d'être de retour à Jérusalem, il traverse le vestibule à la charpente de cyprès et foule la mosaïque blanc, noir et rouge du péristyle avec un plaisir non dissimulé. Après tout, le pavement de la salle n'est-il pas organisé sur le nombre parfait, six, comme les six jours qu'il fallut à Dieu pour créer le monde ? Joseph embrasse Caïphe, puis introduit dans la salle deux hommes à l'air ténébreux. La barbe et la chevelure en broussaille, les ongles étonnamment longs, les pieds nus, ils se tiennent silencieux devant Caïphe et Annas. Leurs visages blafards semblent familiers.

Les yeux cernés rougis par le soleil, les nouveaux venus regardent droit devant eux, ignorant les commentaires de l'assemblée.

Le Grand prêtre connaît la foi de Joseph d'Arimathie pour le Nazaréen. Il sait, comme toute la Judée le sait aussi, que c'est lui qui avait réclamé à Pilate le corps de Jésus. Une démarche que peu de gens avaient soutenue à Jérusalem. Puis, malgré l'opposition des légionnaires, Joseph s'était hâté d'embaumer le corps selon la coutume, d'un mélange de myrrhe et d'aloès, de l'envelopper d'un linceul blanc et de le transporter dans la tombe creusée pour sa propre famille. Une dernière demeure provisoire, certes ! Mais le corps sans vie de son maître ne pouvait rester crucifié jusqu'au lendemain. L'interdiction était formelle, d'autant qu'au coucher du soleil commençait le shabbat, coïncidant cette année avec la célébration de la fête de Pâque. Abandonner le corps du Nazaréen aurait été une violation de la loi juive et aurait laissé une tache indélébile sur la célébration de la Pâque. Malgré cela et pour cela, Caïphe fait confiance à Joseph. Il le sait bon et juste. Il sent que l'homme ne lui mentira pas. Ça, il en est certain.

– Je veux entendre de tes lèvres ce que les autres répètent sans savoir !

Joseph prend place à côté de Nicomède, comme lui un fidèle du Nazaréen.

– J'ai autant fui la violence des Romains que la colère des gardes du Temple, rappelle Joseph.

Le prêtre s'était réfugié à Arimathie. Son village natal, à une demi-journée de marche de Jérusalem, rayonne depuis toujours d'un espoir messianique. N'était-ce pas la patrie du prophète Samuel, qui jadis versa sur David l'huile de l'onction divine ? Un village élevé sur des plaines fertiles, dont le nom même se confond encore avec celui d'Israël.

– Comment t'es-tu enfui du cachot où les gardes t'avaient enfermé ? demande Caïphe en serrant la grenade d'ivoire de son sceptre. Il n'y avait aucune fenêtre !

Troublé par l'entêtement de Joseph d'Arimathie à prétendre que Jésus serait venu au monde par l'intermédiaire d'une mère vierge, le Grand prêtre avait ordonné son incarcération, au moins le temps que les esprits échauffés se calment après la crucifixion du Galiléen. Quelle n'avait pas été sa stupéfaction quand, une fois le shabbat passé, il avait déverrouillé la porte et trouvé le cachot vide !

– La porte était scellée ! Comment as-tu fait ? s'étonne Caïphe.

– Nous étions furieux parce que toi, prêtre et membre du Sanhédrin, tu as réclamé à Pilate le corps du Galiléen et procédé à son ensevelissement sans notre autorisation, rappelle Annas. Mais aujourd'hui, c'est du passé. Nous voulons seulement que tu nous expliques comment tu as pu quitter cette chambre close.

Un large sourire aux lèvres, Joseph d'Arimathie se lève. Comprenne qui pourra, se dit-il.

– Vous m'avez enfermé le jour de la Pâque, reproche-t-il.

Gêné, Caïphe hausse les épaules. Après tout, si Joseph avait fait usage de magie, alors c'est la mort qu'il mériterait. Ne pas célébrer la Pâque aurait été le moindre de ses problèmes.

– Toute la nuit j'étais en prières, continue Joseph, quand soudain un éclair a traversé mon cachot.

Pas un bruit, pas un mot dans l'assistance. Même Nicomède, pourtant de la famille des princes de Judée, retient son souffle.

– Épouvanté, j'ai senti le sang se retirer de mon visage et je suis tombé à terre !

Joignant le geste à la parole, Joseph mime la scène.

– Une main m'a saisi et m'a aidé à me relever.

À ce souvenir, Joseph se met à trembler. Il essuie les gouttes de sueur qui perlent sur son front et tend une main vers les chapiteaux sculptés de roses et de feuilles de vigne.

– Je regarde au-dessus de moi et découvre une silhouette scintillante qui se penche vers moi et m'embrasse.

Il suspend quelques instants son récit et se recroqueville pour ressentir à nouveau la chaleur de cette merveilleuse étreinte.

– « Ne sois pas effrayé ! me dit Jésus. C'est moi, celui dont tu as enseveli le corps ! »

Dans l'assistance, l'air crépite. Étonnement pour les uns, incrédulité pour les autres, des éclats de voix se transforment rapidement en un brouhaha rebondissant d'une colonne à l'autre du péristyle. Annas, qui veut en savoir davantage, exige d'un geste le silence.

– Je ne croyais pas non plus ce que je voyais, poursuit Joseph. Alors, voilà mot pour mot ce que j'ai dit : « Si tu es celui que tu dis être, montre-moi l'endroit où je t'ai enseveli ! »

Joseph mime Jésus le prenant par la main et le conduisant à son tombeau.

– En un souffle, je me suis retrouvé devant la tombe creusée dans le roc. La pierre qui obstruait la porte avait été roulée sur le côté. Jésus me montra le linceul blanc dans lequel j'avais enveloppé son corps. Et là, je l'ai reconnu. C'était bien lui !

Joseph ménage son effet. Il devine à leurs regards moqueurs que la plupart des hommes présents ici ne le croient pas. Lui non plus ne croirait pas son histoire s'il ne l'avait vécue !

– Dans un fulgurant voyage, Jésus m'a emmené dans ma maison d'Arimathie. J'y suis resté quarante jours, comme il m'avait demandé de le faire. Et me voici de retour à Jérusalem.

L'assistance n'est évidemment pas convaincue. Caïphe non plus.

– As-tu des témoins ? demande Annas.

– J'étais seul dans mon cachot, tu le sais, s'agace Joseph.

Un cachot aussi vide que la tombe de Jésus, se dit Caïphe.

– Confirmes-tu que d'autres tombeaux que celui du Galiléen sont ouverts et que leurs occupants ont disparu ? reprend Annas.

La rumeur de morts vivants qui arpenteraient la région de Jérusalem terrorise autant qu'elle irrite. Le Grand prêtre aimerait tordre le cou à cette illusion. Des cadavres qui reprennent vie… N'est-ce pas dangereux pour la pureté de Jérusalem ? s'inquiète Caïphe.

– Vides ? Vides ! répète-t-il. À l'évidence des pilleurs ont osé voler ces corps !

– Ou alors il s'agit d'une machination fomentée par les disciples du Galiléen, propose Annas qui ne croit que ce qui est écrit dans les cinq livres de Moïse, et se méfie des interprétations et des commentaires bavards des pharisiens comme de la lèpre.

Joseph ne répond pas immédiatement. Il sait que le Grand prêtre veut le confondre. Alors il prépare son effet et soupire, comme si retrouver ces souvenirs l'épuisaient.

– C'est à Arimathie que Jésus s'était rendu après avoir ramené Lazare de la vallée des morts, rappelle-t-il.

Il s'interrompt, guettant la réaction de l'assistance.

– C'est là que j'ai retrouvé ces deux hommes, assène-t-il en les désignant d'un regard. Ne vous sont-ils pas familiers ?

Les deux hommes n'ont pas cillé depuis leur arrivée. Ils n'ont réagi à aucun de ses propos.

– Voici les fils de Syméon, annonce gravement Joseph.

Le Grand prêtre hausse les épaules. Ces fidèles de Jésus multiplient les tours de passe-passe ! pense-t-il. Il a assisté à l'ensevelissement des deux frères et croit davantage à une usurpation ou à une méprise qu'à une résurrection.

– Les deux fils de Syméon sont bien morts, je te le garantis, réplique Caïphe. Tu as pu être abusé par une rare ressemblance.

Une explication qui semble convaincre les prêtres mais pas les gens du pays, qui ont vu les tombes vides des fils de Syméon.

– Souvenez-vous, insiste Joseph. Syméon, ce pieux vieillard qui se tenait des journées entières devant le Temple. La résurrection de ses fils est la juste rétribution pour sa foi en Jésus.

Tous connaissent la rumeur qui a accompagné la mort de Syméon, que les plus anciens ont croisé. Les plus jeunes colportent encore cette anecdote ridicule, une histoire à dormir debout que l'on se raconte le soir au coin du feu.

– Oui, souvenez-vous, insiste Joseph. C'était il y a une trentaine d'années. Ce vieil homme faisait quotidiennement les cent pas devant le Temple, répétant à qui voulait l'entendre : « L'Esprit-Saint m'a annoncé que je ne mourrai pas sans avoir vu le Messie ! »

Quelques interjections moqueuses accueillent les propos de Joseph. Mais cela ne le décontenance pas. Il était là. Il a entendu de ses oreilles les paroles de Syméon. Alors sans un regard pour ses jeunes détracteurs, il poursuit son récit.

– Chaque jour, les fidèles l'interrogeaient sur le secret de sa longévité. Affichant une forme insolente, Syméon répondait : « J'attends le Messie ! Je ne mourrai pas avant de l'avoir vu ! »

Annas, Caïphe et les autres prêtres ne voient dans cet entêtement à vivre qu'une forme de défiance. Après tout, Syméon avait tout intérêt à ce que le « Sauveur » n'arrive jamais. L'absence du Messie était la garantie de son immortalité, ironisent-ils. Mais d'autres dans l'assemblée, pour la plupart des pharisiens, y voient un signe de foi.

Joseph s'approche des deux frères et fait face à la foule.

– Selon Syméon, seule l'arrivée du Messie lui garantirait la vie éternelle. C'est ce qu'il croyait profondément. Et un des derniers jours d'hiver arriva la rencontre tant espérée. Après les quarante jours de purification prescrits par la Loi pour les mères qui ont accouché d'un fils, Marie s'était rendue au Temple avec sa mère Anne pour y présenter Jésus et accomplir le rite de rachat du premier-né. Trente-trois jours après la circoncision de son fils, comme le veut la tradition, Marie avait sacrifié deux tourterelles pour célébrer ses relevailles. Purifiée, son nouveau-né dans les bras, elle était sortie radieuse du Temple par la cour des femmes. Attiré par son bonheur comme une abeille par du miel, Syméon s'était approché de Marie et d'Anne.

Joseph s'adresse alors directement aux prêtres, croyant encore possible de les convaincre.

– Jésus sourit à Syméon et le vieillard lui tendit les mains. Ce fut un moment enchanté. Marie, qui n'avait jamais été aussi heureuse, le laissa prendre l'enfant dans ses bras. Des curieux s'attroupèrent, intrigués par les effluves de joie qui flottaient dans l'air. Était-ce l'ivresse de vivre un moment magique ? Syméon comprit aussitôt que ses jours sur terre étaient désormais comptés. Cet enfant qu'il serrait dans ses bras était bien le Messie qu'il attendait. Ne paraissait-il pas avoir déjà deux ans alors qu'il n'avait que quarante jours ?

Le brouhaha oblige Joseph à interrompre son récit. Il attend quelques instants que les esprits échauffés se calment, puis reprend :

– Syméon a ensuite annoncé « Maintenant, je peux quitter la vie. Mes yeux ont vu celui qui va apporter le Salut à toutes les nations, la lumière à tous les peuples et la gloire à Israël ! »

Joseph pose ses bras sur les épaules des deux frères comme pour rendre hommage à la mémoire de leur père.

– Sa joie immense et son impatience de se préparer au trépas pour accéder à la vie éternelle nous ont tous étonnés, à commencer par moi ! C'est sa foi inébranlable qui a garanti à ses deux fils leur résurrection en même temps que celle de Jésus, ajoute-t-il en haussant la voix pour se faire entendre des plus réticents.

Annas se redresse et dévisage les deux frères. Il ne les reconnaît vraiment pas.

– Je ne crois pas que ces hommes soient les fils défunts de Syméon. Personne de sensé ne le croirait ! déclare-t-il.

– Non seulement Jésus est ressuscité, mais il a ramené avec lui de nombreux morts, insiste Joseph, des défunts libérés de leur sépulture comme les deux fils de Syméon !

– Des superstitions, de la magie, mais rien de bien sérieux ! commente Caïphe.

– Beaucoup de disparus ont réapparu à Jérusalem, insiste Joseph.

Annas se lève et dévisage les deux frères que Joseph présente comme les fils de Syméon. Il cherche sur leur visage l'empreinte du mensonge, plonge ses yeux dans les leurs pour lire le fond de leur pensée, mais rien. Pas un signe de perfidie. Pire, il décèle une gravité qui entame sa défiance.

– Vous prétendez que Jésus vous a ramenés d'entre les morts, commence Annas. Alors dites-nous comment vous êtes ressuscités !

Leucius et Carinus se mettent à trembler. Au souvenir de leur terrible expérience, les deux frères gémissent. Ils lèvent les yeux vers le ciel et font du doigt un signe de croix sur leur langue.

– Voici la loi d'Israël ! annonce Caïphe en désignant les rouleaux de la Torah placés au centre de la salle.

– Prêtez serment sur le Dieu d'Israël ! ordonne Annas. Dites-nous la vérité !

Les deux frères lancent un regard anxieux à Joseph. Jésus leur avait demandé de ne rapporter à personne les secrets de leur expérience en enfer. Mais contraints par ce serment sur la Torah, ils se sentent obligés de révéler les mystères de leur résurrection. Dans le fond, c'est pour témoigner de leur expérience dans l'autre monde que Joseph les a ramenés d'Arimathie.

– Donnez-nous de quoi écrire ce que nous avons vu et entendu.

Le silence revient dans la salle. Pas un geste, de crainte de décourager les témoins. Le grand mystère va enfin se dévoiler.

– Nous nous trouvions dans le Shéol avec tous ceux qui dorment depuis le commencement des temps, écrit d'abord Leucius.

– Adam, le premier homme à avoir été façonné ; notre père, le patriarche Abraham ; le roi David et Jean, le dernier prophète qui baptisa Jésus. Ils étaient tous là avec nous ! raconte ensuite Carinus.

Caïphe et Annas écoutent avec attention chaque mot prononcé par les deux frères, guettant la moindre incohérence avec les Textes saints.

– Jean a été envoyé dans le Shéol pour annoncer à ses occupants la venue imminente de Jésus, explique Leucius.

Sur le ton de la confidence, il rapporte les propos de Seth, le fils d'Adam.

– « Lorsque seront accomplis cinq mille cinq cents ans depuis la création du monde, le dieu d'Israël a promis que son fils unique descendrait sur la Terre. Il s'enduira de l'huile de l'arbre de la Miséricorde planté dans le jardin d'Éden et se lavera à l'eau de l'Esprit saint. Il sera guéri de la mort, et ainsi le seront tous ceux qui croiront en lui. » Voilà ce que Seth nous a dit.

– À cette annonce, une lumière dorée illuminera le monde sombre et froid réservé aux morts ! complète Carinus.

À les croire, les patriarches, les prophètes, les saints et tous ceux qui séjournent dans le Shéol se réjouissent à leur tour, réalisant l'imminence de leur délivrance. Mais d'autres n'éprouvent pas cette joie. Satan et le Prince du Shéol sont épouvantés par la fulgurance qui a illuminé leur monde. À l'évidence, le Messie annoncé par les textes est arrivé en enfer.

Jésus descend en enfer

« Un Juif appelé Jésus, qui se nomme lui-même fils de Dieu, est maintenant mort. Enfermons-le solidement… Car il a rendu la vie par la parole seule. »

(*Évangile de Nicomède*, 20)

Alors que les prisonniers du Shéol retrouvent l'espoir, le Prince de la mort et Satan découvrent la peur de n'être plus craints.

– Qui est ce Juif qui par sa seule parole arrache des morts à mon royaume ? s'inquiète le Prince de l'ombre.

Satan mesure avec effroi la puissance du Galiléen. Il n'oublie pas que c'est bien Jésus qui permit à Lazare, mort depuis quatre jours, de s'échapper du Shéol et de retrouver la vie ! Si cet homme peut accomplir de tels prodiges, pense-t-il, il faut s'en méfier et l'empêcher d'entrer en enfer.

Jésus ne compte pas renoncer à ce face-à-face avec la mort. Il sait que Satan a inspiré la peur et la haine qui ont mené à son supplice. En le faisant mourir, le seigneur des ténèbres a introduit la lumière dans son monde. Une erreur de stratégie qui sonne le glas de son pouvoir absolu sur les hommes. Dorénavant, les captifs savent que leur libération est proche. Ceux qui n'ont pas encore connu le sommeil du Shéol ne craignent plus son pouvoir. Le Prince de la mort se sent traqué. Il n'a même plus confiance en Satan. « Une partie de Jésus est en toi, j'en suis certain », dit-il en le chassant de son royaume.

– Ouvrez vos portes infernales afin que j'entre ! lance Jésus.

– Si cet homme pénètre au Shéol, il va vouloir ressusciter tous les morts. Je ne peux l'accepter ! décide le Prince des ténèbres.

Le siège ne dure pourtant pas. Les gonds cèdent comme les ténèbres s'évanouissent au soleil. Dans un éclat éblouissant, Jésus entre. Tous les morts sont déchaînés. L'enfer illuminé, Jésus ramène Adam dans la clarté.

– Nous avons vu le cortège des ressuscités se diriger vers le paradis, affirme Leucius. C'était un spectacle merveilleux !

Baal Zeboub a perdu sa bataille. Jésus l'enchaîne. La mort vaincue, les ténèbres reculent devant la lumière. Pour la première fois, le Prince des démons mesure les limites de son pouvoir. Il l'a compris, plus jamais il n'inspirera le même effroi aux humains. La perspective de leur mort ne les tourmentera plus comme c'était le cas avant l'irruption de Jésus dans son royaume.

– J'aperçus soudain un homme portant une lourde croix sur l'épaule s'avancer vers le cortège. C'était un des deux larrons crucifiés avec Jésus. Le Nazaréen ne lui avait-il pas promis qu'il serait avec lui au paradis ? Eh bien c'est là qu'il se rendait en compagnie des hommes les plus justes de notre peuple.

Mal à l'aise, le vieux Caïphe ne tient plus en place. Il s'est levé et fait les cent pas entre les frères et son siège, en faisant des nœuds à sa barbe ébouriffée.

– Alors que faites-vous ici sur terre ? ironise-t-il. Pourquoi n'êtes-vous pas au Ciel en compagnie d'Adam, de David et de Jésus ?

Les deux frères baissent les yeux dans un mélange de tristesse et d'excitation.

– L'archange Michel nous a ordonné de nous rendre au Jourdain pour y être baptisés. C'est ce que nous avons fait.

– Puis Michel nous a chargés d'annoncer la résurrection de Jésus, ajoute Carinus.

L'assistance médusée n'ose pas mettre en doute les propos des fils de Syméon. La perspective de la défaite de la mort les émerveille. Caïphe et Annas, déconcertés par tant d'imagination, se demandent s'il ne serait pas plus efficace de jeter ces imposteurs en prison et de les livrer aux Romains. Après tout, s'ils ont ressuscité, ils ne peuvent pas mourir une nouvelle fois !

Joseph devine le projet des prêtres. Il prend le récit rédigé par les deux frères, le partage en deux parties, en confie une au Grand prêtre et l'autre à Nicomède. Puis, d'une phrase, il décourage toute velléité de représailles contre les deux frères.

– Les fils de Syméon ont été envoyés sur terre pour trois jours… Et trois jours seulement. Ils ne pourront s'attarder plus longtemps à Jérusalem.

Caïphe prend cette annonce pour une ruse.

– Serait-ce une tentative de fuite ? se moque-t-il.

Soudain, les deux frères sont enveloppés d'une blancheur éblouissante et en un clin d'œil disparaissent, comme happés vers le ciel.

Personne ne les reverra jamais.

Le destin de Pilate

« Tous furent frappés de stupeur par la perfidie de Pilate. »

(*Comparution de Pilate*, 1)

Ceux qui s'attaquent aux enfants d'Israël sont voués à un destin tragique. Hérode Antipas – qui fit décapiter Jean le Baptiste – paiera cher d'avoir incité Pilate à exécuter Jésus.

Sa fille, la première, disparaît dans des conditions épouvantables. Alors qu'elle joue sur les rives du Jourdain, les eaux gonflent, débordent et la happent. Sa mère Hérodiade – celle-là même qui réclama la tête de Jean sur un plateau – tente de la sauver de l'étreinte du fleuve. Aidée par des servantes, elle parvient à la rattraper par les cheveux. Le Jourdain tire d'un côté, Hérodiade tire de l'autre, au point que le cou de sa fille cède, sa tête se détache de son corps. Les eaux rougies emportent le cadavre vers les abysses dans un bouillonnement infernal, laissant Hérodiade en pleurs, la tête de sa fille entre ses mains. Quelque temps plus tard, ivre de chagrin, Hérodiade versera tant de larmes qu'elle finira par en perdre un œil.

Puis c'est au tour du fils d'Hérode Antipas d'être atteint d'un mal mystérieux. Lébonax, épuisé de fièvre, expire à bout de forces, sous les yeux de son père terrifié.

Antipas n'échappe pas à la malédiction qui touche sa famille. Lui aussi frappé d'un mal fatal, le corps dévoré de vers de son vivant, connaîtra une fin misérable.

Ponce Pilate, bien que préfet et détenteur du pouvoir de César en Judée, n'échappe pas à la règle. Il a beau se laver les mains du sang versé sur son ordre, il ne parvient pas à se purifier de ses fautes par les rites juifs d'ablution.

Deux femmes causent sa perte : sa femme Claudia Procula, qui embrassa la religion des juifs messianistes, et Véronique, la fidèle qui témoigna en faveur de Jésus lors de son procès. À Tibère revient de donner le coup de grâce à son serviteur qui, somme toute, ne fit pourtant qu'appliquer la politique impériale en Judée.

*

* *

Tibère souffre d'une peste terrible. La lèpre, peut-être. Aucun médecin à Rome n'est capable de le guérir. Désespéré, il décide d'avoir recours aux Juifs, dont on dit qu'ils possèdent des pouvoirs surnaturels.

– Un certain Jésus guérit par sa seule parole toutes les maladies, lui a-t-on rapporté.

Âgé, usé par le pouvoir et les complots, Tibère ordonne à l'un de ses rares hommes de confiance de se rendre en Judée et d'en ramener ce faiseur de prodiges.

– Mon ami Volusien, reviens avec ce Jésus. Lui seul pourra me rendre la santé !

Personne à Rome n'est au courant de la crucifixion du Nazaréen. Volusien ne l'apprendra qu'à Jérusalem, de la bouche de Pilate.

– C'était un brigand qui poussait le peuple à la révolte ! dit Pilate pour se justifier. J'ai été obligé de crucifier cet homme ! Avais-je le choix ?

Frappé d'effroi, Pilate comprend aussitôt que le jour de son châtiment approche. Il aurait pu libérer le Nazaréen, il le sait. Mais la popularité du zélote l'inquiétait. Peut-être même en était-il jaloux.

– J'ai pris l'avis des sages de la cité avant de condamner cet homme, plaide-t-il. Il fallait qu'il meure !

L'envoyé de César ne parvient pas à dissimuler son désarroi. Dévasté par cette nouvelle, Volusien réalise qu'il ne pourra sauver son César. Puis soudain une idée le frappe. Peut-être lui reste-t-il une chance de guérir Tibère : il paraît que de nombreuses personnes ont été sauvées par le seul nom de Jésus. Le Nazaréen n'aurait donc pas à être présent pour que le prodige s'accomplisse !

– Jésus a-t-il des disciples que je pourrais rencontrer ? demande-t-il.

Pilate hésite. La rumeur de la résurrection de Jésus a déjà fait le tour de la région. Mais si Volusien l'ignore, Rome l'ignore aussi. Le préfet n'est pas prêt à dévoiler cette nouvelle qui agite la population. Cela pourrait lui coûter la vie. Avoir exécuté la seule personne capable de guérir Tibère n'est pas de bon augure pour sa propre santé. D'autant que le Grand prêtre qui siégeait à ses côtés lors du procès du Galiléen a récemment connu une fin misérable. Il a été assassiné en Crète, et son corps lapidé n'a pas été enseveli mais abandonné sous un monceau de pierres comme celui d'une vulgaire bête de somme.

– Donne-moi quelques jours pour retrouver ces disciples, propose Pilate, cherchant à gagner un peu de temps pour préparer sa défense.

Car c'est évident, Tibère exigera bientôt qu'il vienne à Rome expliquer sa décision.

Mais Volusien ne renonce pas facilement. Il arpente Jérusalem à la recherche d'informations sur Jésus et ses disciples. Il interroge des pharisiens, des scribes et des prêtres. Pas un ne sait ce qu'il est advenu de Jésus et de ses fidèles. Leur a-t-on interdit de révéler le supplice qui fut infligé au Nazaréen ? Aucun ne mentionne sa crucifixion ni sa résurrection. Après des heures de vaines conversations, il apprend enfin qu'une de ses fidèles, une femme nommée Véronique, n'habite pas loin, celle-là même qui vint témoigner en sa faveur devant Pilate.

*
* *

Volusien trouve facilement la fragile maison de Véronique à proximité du haut marché, appuyée contre le mur d'enceinte, entre l'ancien palais d'Hérode et la porte des esséniens. Il grimpe sur le toit couvert d'herbe, d'où Véronique, pensive, contemple le mont du Temple. Le cœur lourd, elle porte son regard vers le mont des Oliviers. Le visiteur ne l'interrompt pas et attend qu'elle remarque sa présence pour lui parler.

– Un médecin se trouvait à Jérusalem, il paraît qu'il guérissait par sa seule parole.

La jeune femme ne peut retenir ses larmes.

– Hélas, trois fois hélas ! C'est de Jésus que tu parles. Il était mon maître, mon dieu et mon seigneur ! confie-t-elle. Ponce Pilate l'a fait arrêter par jalousie et a ordonné qu'il soit crucifié !

– Tu me confirmes ce que j'ai appris. Je ne sauverai donc pas la vie de mon maître, se lamente-t-il.

Véronique décèle dans les propos du Romain une foi inavouée dans le pouvoir de Jésus. Volusien ne doute pas que le Nazaréen aurait pu guérir Tibère. Un aveu qui la transporte de joie.

– Jésus se rendait d'un lieu à l'autre pour instruire les foules. Afin de toujours sentir sa présence près de moi, j'ai commencé à peindre son portrait.

– L'as-tu ici ? l'interrompt Volusien. Peut-être l'image de Jésus suffira-t-elle à sauver Tibère !

Véronique sourit à son enthousiasme.

– J'ai mieux, répond-elle. Jésus me surprit à peindre son portrait. Constatant sans doute que je ne suis pas une artiste accomplie, il me demanda une étoffe, l'appliqua sur sa face et me la rendit marquée de son visage.

– Le véritable visage de Jésus ! s'exclame Volusien. C'est merveilleux. Veux-tu me le vendre ?

Véronique n'a aucune intention de se séparer de la précieuse étoffe. Mais elle est prête à accompagner Volusien à Rome pour montrer le portrait à Tibère avant de retourner à Jérusalem.

– Si César contemple ce portrait avec une foi sincère, il recouvrera immédiatement la santé, promet-elle.

*

* *

Et c'est bien ce qui se passa. Le miracle espéré s'accomplit.

Dans ses appartements, en signe de dévotion, Tibère étend des étoffes de soie pour que le portrait lui soit présenté. À l'instant même où il le contemple, toute trace de lèpre sur son corps disparaît.

Furieux qu'un tel homme, capable de faire tant de bien, ait été supplicié, Tibère convoque Pilate à Rome et le fait arrêter sur-le-champ. Quelques jours plus tard, Pilate est exilé à Vienne, près de Lugdunum en Gaule, pour y attendre la sentence de l'empereur. C'est là déjà qu'Hérode Archélaüs a été assigné à résidence. C'est dans cette région que sera bientôt envoyé Hérode Antipas avec sa terrible femme Hérodiade. En femme romaine héroïque, Claudia Procula suit Pilate dans sa déchéance. Le préfet a supplié Tibère et prié Jésus que sa faute n'entraîne pas de châtiment pour sa femme et sa famille. Mais César veut qu'il connaisse une mort infamante. La sentence que Pilate a infligée à Jésus doit se retourner contre lui.

– De même qu'il a porté la main sur un homme juste, de même Pilate tombera dans les enfers sans être sauvé ! proclame César.

Œil pour œil, dent pour dent, sang pour sang, seul le principe de rétribution permet la justice : à chaque action sa réaction. Pilate est condamné à être empalé. Une mort effroyable, lente et honteuse, qui épouvante l'ancien préfet. Alors, pour échapper à ce lent supplice, il précipite sa fin en se jetant sur son propre poignard. Une tentative de suicide qui vient aussi en écho à la mort violente de Judas l'Iscariote, mais n'empêchera pas la décapitation ordonnée par César. À l'instant où la tête de Pilate est tranchée par son bourreau, Procula rend l'esprit, sans souffrance. Elle épouse le destin de son mari dans l'autre monde. Malgré tout, elle ne l'aura pas abandonné.

Le corps de Pilate, attaché à une lourde roche, est plongé dans les eaux du Rhône. Mais de crainte que sa présence ne rende le fleuve impur, le cadavre est ensuite transporté à Lausanne. Sa population, tout autant inquiète pour la pureté de son sol, se débarrasse des restes de Pilate dans un puits entouré de montagnes. Un lieu diabolique dont les eaux bouillonnent encore.

14

L'enseignement secret de Jésus

« Je révèle le mystère à ceux qui en sont capables.
Que ta main gauche ignore ce que fait ta main droite. »
(*Évangile de Thomas*, 62)

Le trésor caché

« Celui qui vient labourer le champ,
en le labourant découvre le trésor. »

(*Évangile de Thomas*, 109)

Douze années durant, Jésus demeure sur Terre afin de rendre les réalités d'en bas semblables aux réalités d'en haut. Mais en côtoyant ses disciples, le Nazaréen mesure la résistance des hommes à la Vérité. Tous ne l'accueillent pas avec la même confiance. À tous elle n'apparaît pas de la même façon. Jésus lui-même revêt à leurs yeux des apparences différentes.

Beaucoup s'égarent. Perdus en chemin, ils errent dans un monde intermédiaire entre le bon et le mauvais. La plénitude est un secret bien gardé, que Jésus compte libérer.

– Si tu dis être juif, personne ne s'en étonnera. Si tu dis être romain, personne ne tremblera. Si tu dis être grec, barbare, esclave ou homme libre, personne ne sera troublé. Mais si tu affirmes être « chrétien », alors tous trembleront !

« Il faut être avant d'exister ! » explique-t-il. En fait, l'enseignement qu'il prodigue avant son ascension définitive au Ciel est destiné à une élite, des élus pour lesquels comprendre la Vérité illumine l'esprit. Seule la connaissance – cachée aux communs des mortels – les sauvera. Disciple après disciple, Jésus sème son enseignement. Cette sagesse perle sur les cœurs comme la rosée scintillante sur les fleurs. Le Royaume qu'il promet ne sera accessible qu'à ceux qui le cherchent.

– L'homme est comme un champ, explique Jésus. Il doit être cultivé pour révéler sa richesse. Tout homme possède en lui un trésor merveilleux dont il ne soupçonne pas la présence. Ainsi, ses jours écoulés, un paysan lègue sa terre à ses enfants. Eux non plus ne soupçonnent pas l'existence de ce trésor. Alors ils la vendent à un homme qui la travaille avec courage. À force de labourer ce champ, de tourner et de retourner sa chair et son âme, il découvre le trésor et prend connaissance des choses cachées qui lui sont ainsi révélées. Celui qui cherche le monde d'en haut le trouve. Celui qui se connaît lui-même entre dans ce monde. Voilà le trésor caché que chacun reçoit en héritage, promet Jésus.

Une visite informelle chez Jacques le Juste

« *Ne soyez jamais joyeux tant que vous n'aurez pas regardé votre frère avec amour.* »

(*Évangile des Hébreux*, IV)

Jésus apparaît d'abord à Lévi alors que ce dernier pêche en mer de Galilée. Puis il rend visite à son frère Jacques, auquel il réserve un traitement spécial. Sans doute en souvenir de leur père Joseph. Ou peut-être parce que, enfant, il le sauva d'une mort certaine. Jésus entend encore ses cris effrayés. Jacques avait été mordu par une vipère alors qu'il ramassait du bois et Jésus se revoit, bouleversé, le guérir d'un tendre souffle sur sa plaie. Il n'avait pas cinq ans et garde un souvenir aigu de cet innocent prodige.

Une trentaine d'années a passé. Depuis la crucifixion de Jésus, Jacques se laisse mourir de faim et de soif. Une mort lente que le Nazaréen peut lui éviter, simplement en apparaissant. Alors, un soir, il se rend à Jérusalem et apparaît devant sa maison. En visiteur que personne n'attend plus, il pousse la porte et entre dans l'indifférence. Ni lumière fulgurante, ni trompettes d'anges, mais un silence incrédule.

Autour du four à pain, Pierre, André et Jacques oscillent entre la tristesse d'avoir perdu leur maître et la joie d'avoir entendu de Marie de Magdala la nouvelle de sa résurrection.

Lors de la Cène, le dernier repas de Jésus avant son arrestation, Jacques avait fait le vœu de ne plus jamais manger ou boire tant qu'il n'aurait pas vu de ses yeux Jésus ressuscité d'entre les morts. Une promesse qu'il respecte. Et si son corps s'amaigrit, sa volonté grandit.

Jésus se mêle aux disciples. Aucun ne le reconnaît. Il les salue un par un, puis se tourne vers Jacques.

– Personne ne peut être vraiment heureux tant qu'il n'aura pas regardé son frère avec amour ! déclare-t-il.

Jacques le dévisage. « Est-ce toi ? » demande-t-il. Puis il se ravise, attribuant cette hallucination à la faiblesse de son corps.

Jésus insiste.

– Apportez une table ! commande-t-il.

L'intonation du visiteur paraît familière, mais les disciples ne reconnaissent toujours pas Jésus.

– N'ayez pas peur ! Touchez-moi ! leur dit-il. Voyez ! Je ne suis ni un démon ni un fantôme.

Ni convaincus, ni rassurés, les disciples dressent une table.

– Apportez du pain !

Jacques hausse les épaules. Il est hors de question qu'il trahisse son vœu. Tant qu'il ne verra pas son frère ressuscité, il ne mangera pas. Quand il sera prêt de mourir, Jésus reviendra de la mort le sauver à nouveau. Voilà ce qu'il espère.

Jésus bénit le pain, le rompt et en donne un morceau à Jacques.

– Mon frère, mange ce pain, puisque je suis revenu de ceux qui dorment !

À la douceur de sa voix, puis à son regard noir et brûlant, Jacques reconnaît enfin Jésus ressuscité. Il partage le pain et met fin à son jeûne.

*

* *

Quelques mois plus tard, un jour de la Pâque, Jacques est pris à partie par des foulonniers, l'esprit échauffé par les paroles des pharisiens. Les douze apôtres sont dispersés à travers le monde ; Jacques se trouve à la tête de la communauté de fidèles de Jérusalem. Une responsabilité qui lui vaut les inimitiés des Romains, ainsi que des païens chrétiens qui rejettent la loi juive et des Juifs qui rejettent le message de Jésus. Une situation qui conduit Jacques à être précipité du pinacle du Temple d'où il tente de ramener le peuple à la raison.

– Lapidons ce juste, puisqu'il nous est inutile ! décident-ils en le poussant vers le vide.

Jacques ne résiste pas. Il est déjà mort deux fois, et deux fois il a échappé à la mort. La vie éternelle l'attend, il en est certain. Alors c'est pour ses tortionnaires qu'il prie.

– Pardonne-leur, car ils ne savent pas ce qu'ils font ! supplie-t-il tandis que, aveuglés par leur ignorance, ils l'assaillent de pierres.

Un prêtre du Temple tente de s'interposer.

– Laissez-le ! Ne lui faites pas de mal. C'est pour votre salut que cet homme prie !

Mais les hommes en meute sont sourds. Les pierres pleuvent. Le visage en sang, Jacques s'écroule sur le côté. Endurcis par le tannage des peaux, les hommes le frappent comme s'ils battaient une peau de mouton. Mais il ne meurt pas encore. Il se retourne et se redresse. Un foulon ivre d'ignorance brandit un bâton. « Enfin je vais rejoindre mon frère », se dit Jacques alors que son bourreau le frappe à la tête comme s'il achevait l'une de ses bêtes.

Une apparition cosmique sur le mont des Oliviers

« Je vous conduirai dans un endroit où il n'est question ni de manger, ni de boire, ni de porter des vêtements, un lieu où rien ne corrompt. »

(*Épître des Apôtres*, 19)

Le quinzième jour du mois de *Chevat*, le onzième du calendrier religieux juif, Jésus apparaît de nouveau sur le mont des Oliviers. C'est la pleine lune. Ce jour, à la fin de l'hiver, commence le renouvellement de la nature. En ce nouvel an des arbres, les oliviers scintillent. Les cieux se reflètent joyeusement ici-bas. La Jérusalem terrestre fait face à la Jérusalem céleste et, entre les deux, le mont de l'Onction où se rassemblent les fidèles depuis la résurrection de Jésus.

À la limite du désespoir, les disciples attendaient sa réapparition dans une atmosphère orageuse de ferveur et de superstition. Pierre les a prévenus : « Méfiez-vous des imposteurs ! » Il leur répète fidèlement les propos tenus par Jésus lors de son apparition en Galilée : « Prenez garde ! Ne vous égarez pas. Ne soyez pas incrédules. Beaucoup prétendront venir en son nom, mais ne les suivez pas ! »

Comment le reconnaître ? se demandent donc les fidèles prêts à croire le premier enchanteur venu.

– Sa venue ne sera pas annoncée, reprend Pierre. Soudain comme la foudre, Jésus fera irruption dans un ciel sept fois plus brillant que le soleil. Vous le reconnaîtrez, car dans le vacarme d'un orage fulgurant, il illuminera le mont de l'Orient à l'Occident. « C'est un feu que je suis venu jeter sur Terre ! » a-t-il prédit.

Ce jour est arrivé. Le ciel s'illumine. Aveuglante, la lumière enveloppe la colline. Les fidèles effarés se pressent les uns contre les autres. « Voici le moment du Jugement ! » s'écrient-ils. « Mieux aurait valu que nous n'ayons pas été créés ! » s'épouvantent ceux qui craignent le pire. Les portes de la Géhenne vont s'ouvrir. Les démons et les morts vont envahir la Terre. La nuit de la punition va s'ouvrir et engloutir les vivants. Les eaux vont s'enflammer, le firmament disparaîtra. Les hommes du Nord fuiront vers le Sud ; ceux du Sud fuiront vers le Nord. Mais aucun n'échappera au Jugement. Tous ceux qui auront fauté se consumeront dans un fleuve de feu. Seuls les élus échapperont à la dissolution de l'humanité. Hommes et femmes, chacun aura la place qu'il mérite.

Les fidèles scrutent les cieux à la recherche d'un signe rassurant. Une silhouette se détache des nuées flamboyantes, mais nul ne parvient à distinguer s'il s'agit de Jésus ou du Prince des ténèbres.

– Ne soyez pas effrayés !

La voix surgie des nuées leur rend courage. La lumière décroît et l'inquiétude des fidèles avec elle.

– C'est bien moi, ajoute Jésus en apparaissant.

Tremblants de peur et de joie, les fidèles tombent à genoux. Ils vont connaître le secret de tous les mystères. Jésus s'y engage. « Désormais, mes paroles seront claires. Je ne vous cacherai rien », promet-il. Pourtant, la Vérité n'est pas à portée de tous. « Je ne me révèle pas tel que je suis en réalité, mais selon la capacité de chacun », prévient-il. L'ignorance seule est la source de tous les maux. Aux petits il apparaît petit, aux grands il semble grand, aux anges il se montre comme un ange.

Les âmes face à leur Rédempteur se préparent à la rencontre de l'esprit et de la chair.

– La Parole vient des lèvres, explique Jésus. C'est par un baiser que naît l'homme. Alors donnons-nous naissance l'un l'autre en partageant l'amour qui est en nous.

Les fidèles regardent autour d'eux. Ils sont entourés d'oliviers. L'arbre de vie planté dans le jardin d'Éden est partout. La croix de la crucifixion n'est-elle pas du bois d'un arbre planté par des hommes ? L'huile de l'onction qui désigne les rois et les messies est tirée de cet arbre-là. Grâce à cet olivier, la résurrection est donc possible. Être oint d'huile représente plus que d'être plongé dans l'eau. C'est en raison de l'onction que Jésus est appelé Messie. C'est par l'onction qu'on devient chrétien. Et c'est par la connaissance qu'on accède à la Vérité.

Le maître de sagesse et Marie de Magdala

« Ils m'ont haïe parce que je t'aimais. »

(*Pistis Sophia*, 54)

La beauté de Marie scintille comme un avertissement. Les apôtres désorientés craignent sa séduction comme la pire des menaces. Ils redoutent que sa féminité n'empêche l'apparition de Jésus. Pierre, le premier, exige que cette femme s'éloigne.

– Nous ne pouvons accepter que cette femme prenne notre place, ne nous laisse pas nous exprimer et parle sans cesse !

Sa seule présence pollue la vie des hommes ! Femme fatale, Marie de Magdala risque d'introduire la division entre les hommes. Pécheresse par nature, la femme prépare le terrain pour Satan : le terrible Lucifer est appelé *shatan* en hébreu, le « diviseur », parce qu'il sépara la lumière des ténèbres. Pierre en est certain, il faut maintenir la femme hors de la sphère des hommes. C'est pourtant de cette séparation entre Dieu et son peuple, de celle entre Adam et Ève, que jaillit la mort. Il faut réunifier ce qui est séparé, refaire Un ce qui est partagé en deux. Dieu et sa création, l'esprit et la chair, l'homme et la femme, il faut redevenir Un pour effacer la mort de la vie. Le message de leur maître est limpide : « La femme, un souffle vivant pareil à l'homme, entrera également au Royaume de Dieu ! »

Alors, au grand désespoir des apôtres, c'est d'abord à Marie de Magdala que Jésus prodigue de nouveau son enseignement.

– Marie de Magdala est supérieure à tous mes disciples ! annonce-t-il.

Sur les quarante-six questions qui lui sont posées, trente-neuf le sont par sa confidente, sa compagne, celle qui est aussi proche de lui qu'un vêtement. À l'évidence, Marie est son disciple préféré. Initiée, celle qu'il appelle « ma femme » contribue par ses questions et par son attitude à la révélation de son message. Mais plus encore, l'union entre Jésus et Marie de Magdala reflète sur Terre la réunification sacrée dans le Ciel, celle qui permet de vaincre la mort et de garantir l'immortalité. « La femme comme l'homme deviendra un souffle vivant », réitère le Nazaréen. Le féminin réuni au masculin, c'est la sagesse unie à la connaissance, le rétablissement de l'unité primordiale qui existait avant le péché originel.

– Où en sont tes disciples ? s'enquiert Marie.

– Ils ressemblent à des enfants qui ont pénétré dans un champ qui ne leur appartient pas, lui répond Jésus.

La Magdaléenne comprend aussitôt la préoccupation de son maître. Ceux qui le suivent de loin ne sont pas encore imprégnés de la connaissance indispensable à la compréhension de son message. Les pillards de sagesse, les voleurs d'espoir, les menteurs et autres pervertisseurs auront facilement raison de la naïveté de ses fidèles.

– Ils se tiennent nus devant des pillards, ajoute Jésus. Ils ne sont pas prêts à leur résister.

Marie se tourne vers les apôtres. Elle aussi s'inquiète pour eux. Elle sait qu'ils ne sont pas prêts à affronter les voleurs d'âme. Elle ne décèle aucun sage parmi eux. C'est elle le véritable maître de maison, la seule qui peut les protéger. Elle les connaît mieux qu'ils ne le croient, elle mesure leurs faiblesses et leur force.

– Soyez vigilants ! prévient-elle en les observant, désorientés, abandonnés sur Terre comme de la rosée sous un soleil brûlant.

Les apôtres sont comme des nouveau-nés tétant encore le sein de leur mère. Innocents, affamés de vérité, ils sont venus divisés au monde et vont passer leur existence à se retrouver.

– Comment entrerons-nous au royaume des cieux ? demandent-ils.

Marie de Magdala découvre avec plaisir le désir s'éveiller en eux.

– Lorsque vous aurez rassemblé le masculin et le féminin, alors vous entrerez dans le Royaume, explique Jésus.

Ce n'est pas mâle et femelle qui doivent se réunir, mais homme et femme pour créer un être lumineux unique, nouveau et immortel. Marie de Magdala est la clé de l'enseignement du maître de sagesse.

Douze années durant, il enseigne à ses fidèles intimes les mystères du royaume des cieux. Douze années pour répondre à la question fondamentale des enfants d'Israël : comment tant de malheurs peuvent-ils frapper l'humanité ? Comment le monde d'en bas, créé par Dieu, peut-il être si imparfait ? Pourquoi son peuple élu souffre-t-il le martyre sous le joug romain ?

Ce qu'il enseigne, c'est l'illumination de l'esprit. Que chacun retrouve l'étincelle divine qui l'habite et prenne conscience de son existence afin de pouvoir retourner d'où il vient, vers le Salut.

La Magdaléenne n'est pas qu'une simple initiée, elle est celle par qui l'amour arrive. Gardienne de l'oasis, elle éveille les esprits et aiguise le désir d'être. Elle qui la première a vu Jésus ressuscité fait mentir sa propre déclaration : « Nul n'est prophète pour ses proches, nul n'est médecin dans sa maison. » Voilà l'immense pouvoir de Marie, renverser l'intérieur vers l'extérieur et l'extérieur vers l'intérieur. Rendre intime ce qui est public et public ce qui est intime.

Soudain une phrase de Jésus revient à l'esprit de ses disciples. « Je vous le dis, là où sera proclamé mon message, on se souviendra de Marie de Magdala et de ce qu'elle a fait ! » Les apôtres comprennent enfin. Seul celui qui connaît la vérité est libre. Et celui qui est libre ne pèche pas. Marie de Magdala en est la preuve. Soudain, ils voient en elle les deux autres Marie qui jadis entouraient Jésus : Marie de Bethléem et Marie de Béthanie. La mère, la sœur et l'épouse, trois visages de la féminité illuminés par leur étincelle divine.

La douzième année sur terre prend fin. Leur enseignement accompli, il est temps pour Jésus d'entamer son ascension.

– Je suis encore avec vous pour quelque temps, puis j'irai vers Celui qui m'a envoyé.

Les nuées se rassemblent au-dessus de Jérusalem. La terre tremble. Les éclairs enflamment le ciel. La vie ici-bas de Jésus s'achève.

Avant de quitter le mont des Oliviers, Jésus transmet à ses disciples le pouvoir de guérir et le secret de la résurrection des morts. Voilà désormais des hommes détenteurs de la clé du royaume des cieux. Les disciples en tremblent de peur. Les voilà livrés à eux-mêmes.

Marie de Magdala n'abandonne pas les apôtres à leur sort. Au contraire, elle organise leurs missions à travers le monde et tient le registre de leurs actions dans les différents pays. Une fois Jésus dans le ciel, Marie de Magdala devient sur terre sa messagère. Le Nazaréen a répondu au rêve juif d'un messie. La Magdaléenne fera du rêve une religion. Elle restera encore deux années en Judée avant de disparaître. Peut-être se réfugia-t-elle dans une vie d'ascèse, comme certains le prétendent. D'autres imaginent qu'elle traversa la *Mare nostrum* pour débarquer à Massalia. En fait, « l'apôtre des apôtres » continua pendant une trentaine d'années de prêcher le message du maître de sagesse.

15

Tout a commencé avec la Vierge Marie, tout finit avec elle

« Le quinzième jour du mois d'Ab,
la Vierge Marie sortit de ce monde. »
(*Livre de l'Assomption de Marie*)

Les mères ne meurent jamais

« Rends-toi à Bethléem, car la mère de Jésus va partir. »

(*Dormition de Marie du Pseudo-Jean*, 22)

Durant vingt-deux ans, chaque jour après que Jésus a vaincu la mort, sa mère inconsolable se rend sur le lieu de son tombeau vide pour y brûler de l'encens.

Sans crainte, Marie brave l'interdiction de se recueillir et de prier à l'intérieur du tombeau. Que pourrait-on lui faire de pire que de lui avoir enlevé son enfant ? Marie ne redoute rien d'autre que d'être séparée pour toujours de son fils. Pourvu qu'il revienne vers moi ! supplie-t-elle chaque matin.

Alors que tous autour d'elles guérissent petit à petit de sa disparition, sa mère, le cœur brisé, verse chaque jour des larmes de rosée. « Enlève-moi du monde d'en bas ! » réclame-t-elle. Méchante et injuste, la Terre n'est plus à ses yeux qu'un lieu de souffrances. Ses seuls moments de joie sont dans ses souvenirs. Le monde d'avant lui paraissait merveilleux. Prodiges et enfantillages se succédaient. Facétieux et turbulent, son fils modelait sous ses yeux leur destinée. Elle ne se doutait pas que tant de bonheur la mènerait à un tel supplice. Car si Jésus est rentré chez lui au Ciel, elle, sa mère sans laquelle rien n'aurait été possible, se trouve là sur Terre abandonnée à sa souffrance. Quand donc Jésus mettra-t-il un terme à sa solitude ? Quand justice sera-t-elle enfin rendue aux choses célestes et terrestres que Marie a accomplies ? C'est par son ventre que le Fils du Père est entré dans ce monde. Sans elle, il n'y aurait eu ni naissance ni résurrection. N'est-il pas temps de mettre un terme à l'injustice qui la frappe ?

Des femmes viennent de tous les pays de l'Empire romain lui exprimer leur foi en la résurrection de son fils. Celles qui sont tourmentées viennent chercher le réconfort pour elles-mêmes, et apporter la consolation à Marie ; des mères confrontées aux souffrances de leurs enfants, des filles pleurant leur père et tremblant pour leurs frères, des épouses chassées, des femmes violentées, elles viennent toutes chercher auprès de Marie la réponse au Mystère. Comment a-t-elle pu enfanter sans avoir été fécondée par un homme ? Comment a-t-elle pu accoucher sans que son hymen soit détruit ? Des Romaines, des Égyptiennes, des filles de princes et des filles de misérables, toutes reliées par la même souffrance et la même espérance. Toutes soulagées au contact de Marie.

Deux mille quatre-vingts femmes venues rencontrer Marie sont sauvées. Celles qui souffraient d'une maladie ou d'une infirmité sont guéries. Une nouvelle qui frappe de stupeur les prêtres du Temple et alarme les autorités romaines, qui comptaient bien avoir arraché le mal à sa source en suppliciant Jésus.

La peur des prêtres rend indésirable la présence de Marie à Jérusalem. La colère grandissante des Romains menace tous ceux qui se hasarderont près du sépulcre. « Nombre de Juifs périront par la faute de Marie ! » prévient le préfet. Par crainte des représailles, ils sont de plus en plus nombreux à éviter le mont du Golgotha. Personne n'ose s'aventurer près du sépulcre, si ce n'est Marie. Les apôtres sont disséminés à travers le monde. Jean se trouve à Éphèse, Pierre à Rome. Prudent, Paul de Tarse se tient à une distance de cinquante jets de flèche de l'*Urbs*. Thomas porte la parole de Jésus en Inde. Plusieurs apôtres ont déjà été martyrisés. Philippe, Marc, André, Siméon, Luc, Thaddée et Barthélemy ne sont plus de ce monde. D'autres disciples ont oublié leur maître, d'autres encore n'osent pas approcher du Golgotha.

Après quarante jours de réflexion, Marie rassemble les femmes du voisinage.

– Je ne veux pas créer davantage de problèmes aux habitants de Jérusalem, dit-elle.

La nuit précédente, l'ange Gabriel est venu à elle. « Sois courageuse, Marie. Ne crains rien et va à Bethléem, lui a-t-il conseillé. Et demeure dans la « Maison du pain » jusqu'à ce que tu revoies ton fils. Tu sortiras de ce monde pour aller vers la vie éternelle, lui a-t-il promis. Et tu entreras au paradis. »

Consolée par ces propos, Marie propose aux femmes de Jérusalem de la suivre. Trois vierges choisissent de vivre à ses côtés. Abigea, Séphora et Zahel abandonnent leurs familles et s'engagent à rester auprès d'elle jusqu'à leur dernier jour sur Terre.

– Sortons d'ici ! lance Marie en prenant le chemin de Bethléem.

– Mon vœu a été exaucé, annonce-t-elle joyeusement à ses compagnes. Dans peu de temps, je laisserai ce monde pour les cieux.

Les trois jeunes filles, attristées, ne parviennent pas à retenir leurs larmes.

– Je serai enfin auprès de mon fils, ajoute Marie pour les consoler.

*

* *

Le vendredi suivant, Marie arrive au terme de sa vie. L'ange Gabriel lui apparaît et lui apporte une branche du palmier venant du paradis. Le même palmier qui leur offrit ses dattes lors de leur fuite en Égypte.

– Tu ne verras pas le Prince des ténèbres. Ton corps ne sera pas altéré, promet-il.

À Éphèse, Jean, à qui Jésus avait confié sa mère, est emporté par une nuée jusqu'à la porte de la maison de Marie à Bethléem. « Dans trois jours, Marie doit abandonner son corps », l'avertit l'ange.

Tumulte et nuées d'encens, Sabaoth, l'autre appellation de Yahvé, le chef des armées célestes, ouvre les cieux dans un éblouissement de foudres et de tonnerre. Les étoiles semblent tomber sur terre. La lune et le soleil se rencontrent au-dessus de Bethléem. Ce jour n'est pas un jour comme les autres. C'est un dimanche que la nouvelle de sa grossesse fut annoncée par l'ange Gabriel à Marie. C'est un dimanche que Jésus est né à Bethléem. C'est un dimanche qu'il ressuscita d'entre les morts. C'est un dimanche qu'il reviendra pour le Jugement dernier et c'est un dimanche que Jésus descend du Ciel pour honorer celle qui l'a enfanté.

Dimanche, l'âme de Marie s'élève au ciel. Ce quinzième jour du mois d'*Ab* [1], Marie sort de ce monde en présence de son fils et de tous les anges, de Jean, et des apôtres, les vivants comme les morts réveillés pour l'occasion.

Son assomption ne pourrait se dérouler un autre jour. Le mois d'*Ab*, « mois du Père », est à la fois celui de la souffrance et de la joie. Ce temps où les fruits mûrissent est aussi celui des catastrophes qui frappent Israël. La destruction du temple de Jérusalem, d'abord par Nabuchodonosor puis par les Romains, et la mort d'Aaron frère de Moïse. Mais c'est aussi le mois du réconfort et de la consolation, celui de la fin du Déluge qui vit la refondation du monde scellée par la promesse divine de ne plus jamais exterminer l'humanité. Depuis l'édification du second temple six siècles plus tôt, le 15 d'*Ab* est donc un jour de réjouissances, celui où les hommes non mariés rencontrent pour les épouser des jeunes filles vêtues de blanc pour l'occasion. Ce mois d'*Ab* fut celui de la fin de la vie terrestre de Joseph, et c'est le temps de célébrer ses noces funèbres avec Marie.

*

* *

Marie n'a que cinquante-neuf ans. Sa vie est inscrite sous le signe symbolique de la dualité : il s'est écoulé

1. Le 15 août. Le mois d'*Ab* ou d'*Av* correspond au mois lunaire du calendrier du judaïsme s'étendant entre juillet et août.

onze ans sur terre depuis la résurrection de Jésus, puis onze ans depuis son ascension. Vingt-deux ans après sa crucifixion, Marie retrouve enfin son fils.

Jésus, tout proche d'elle, la rassure.

– Ton corps si précieux est emmené immaculé au paradis, alors que ton âme monte aux cieux y retrouver mon Père.

Marie sent la main droite de son fils se poser sur elle. Elle la prend, la serre contre elle et l'embrasse.

– Aie pitié de ce monde, supplie-t-elle.

Alors que les apôtres la remercient d'avoir donné naissance à la lumière dans ce temps de ténèbres, Marie sent son âme quitter son corps et commencer à s'élever. Le soir du troisième jour, Marie est accueillie par cinq mères merveilleuses : Ève, la mère de toutes les femmes, Anne, sa propre mère, Élisabeth, la mère de Jean le Baptiste, Sarah la mère d'Isaac et Rebecca la mère de Jacob-Israël.

– Mon fils, enfin… murmure-t-elle en entrant dans l'autre monde.

Sur terre, des hommes et des femmes rassemblés devant sa maison de Jérusalem crient à s'en rompre les veines : « Toi qui as donné naissance au Messie, notre Dieu, n'oublie pas les humains ! »

Marie ne les oublie pas. Comment le pourrait-elle ? Elle est d'abord une mère et son amour inaltérable, immense et indéfectible. À l'ombre du palmier planté par son fils, Marie accueille désormais les femmes et les hommes à bout de jours dans leur nouvelle vie. Quand ils la voient heureuse et pleine de grâce, un sentiment éblouissant de paix les envahit. Ils savent qu'ils sont rentrés chez eux. Les portes du Ciel sont ouvertes. Elles ne se refermeront plus.

Glossaire

Abba

Issu de l'hébreu *hab*, le terme *abba* désigne le père. Dans le judaïsme, le pluriel *haboth* désigne les Pères d'Israël. Dans son utilisation chrétienne, *abba* désigne *Dieu le Père*, puis désignera ensuite les ecclésiastiques, tels les abbés.

Absalom

Troisième fils de David, Absalom, dont le nom signifie « mon père est paix », est connu pour avoir tué son demi-frère Ammon qui avait violé sa sœur Tamar. Absalom se révolta contre son père et fut exécuté à l'issue de la bataille de Mahanayim par le général Joab, contre l'avis de David.

Ahitophel

Grand-père de Bethsabée, Ahitophel était conseiller du roi David. Lorsque le fils de ce dernier, Absalom, se révolta contre son père et tenta de lui ravir sa couronne,

Ahitophel prendra son parti. Absalom vaincu, Ahitophel se pendit. Il s'agit du seul suicide de l'*Ancien Testament*, revisité dans le *Nouveau Testament* à travers le suicide de l'apôtre Judas.

Alliance

Pacte entre Dieu et son peuple, l'Alliance, en hébreu *bérit*, désigne d'abord l'engagement de Dieu vis-à-vis de Noé de ne plus jamais chercher à exterminer l'humanité. Un second pacte lie Yahvé à Abraham et à sa descendance, assorti de la promesse d'un territoire et scellé par le rite de la circoncision. La troisième Alliance est prononcée sur le mont Sinaï durant l'exode des Hébreux. Moïse reçoit de la part du dieu d'Abraham, de Jacob et d'Isaac, le Décalogue, Dix commandements, un pacte éthique et cultuel fondateur du judaïsme, assorti de l'accès à la Terre promise et de la constitution du peuple d'Israël, douze tribus descendant de Jacob-Israël pour former une nation. Une quatrième Alliance est scellée à travers l'arrivée du Messie, le supplice de Jésus sur la croix, sa résurrection et son ascension.

Annas

Annas ou Annanias, en hébreu *Hanan*, est Grand prêtre du temple de Jérusalem entre l'an 6 et l'an 15. Il fut destitué par le procurateur romain Valerius, et son gendre Joseph (Caïphe) lui succédera trois ans plus tard.

Apocryphe

Issu du grec *apo* « en dessous », le terme « apocryphe » désigne ce qui est caché. Interdits, puis considérés comme secrets, les Évangiles dits « apocryphes » sont donc tenus à part des Évangiles « canoniques », c'est-à-dire des textes qui obéissent à la « règle », en grec le *kanon* ou roseau.

Apôtre

Issu du grec *apostolos*, le terme apôtre désigne les envoyés, les messagers, ou encore missionnaires de Jésus.

Auguste

Caïus Octavius, adopté par Jules César, devient le premier empereur romain en 27 avant J.-C., après avoir éliminé ses concurrents, dont Marc Antoine. Auguste règne jusqu'en 14 de notre ère. Il meurt à soixante-seize ans en laissant le trône à son fils adoptif Tibère. Il est parfois appelé simplement « César », titre qui désigne les empereurs romains.

Baal Zeboub

Baal désigne une divinité cananéenne des montagnes. Baal Zeboub est une déformation ironique en hébreu de Baal Zéboul, transformant l'appellation « Prince sublime » en « Seigneur des mouches ». L'appellation du démon Belzébuth en sera issue.

Balaam

Ce devin venu d'Égypte à la demande du roi de Moab était chargé de décourager les tribus d'Israël de s'installer sur la Terre promise. Contrairement aux espoirs des Moabites, des Madianites et des Amalécites, qui guerroyaient contre les enfants d'Israël, Balaam se soumet à la puissance de Yahvé qui met dans sa bouche les termes de sa prophétie, annonçant la prospérité d'Israël, l'avènement de la monarchie davidique et la venue du Messie.

Béthanie

Il ne faut pas confondre Béthanie-au-delà-du-Jourdain, située sur la rive droite du Jourdain où Jean baptise les fidèles, avec Béthanie située à trois kilomètres de Jérusalem sur un versant du mont des Oliviers, où habitent Lazare et sa famille.

Bethléem

La « Maison du pain », Bethléem, située à deux heures de marche au sud de Jérusalem, est le berceau de la dynastie davidique. C'est dans cette bourgade que viennent au monde Jessé et son fils David. Mille ans plus tard, Jésus naîtra lui aussi à Bethléem.

Caïphe

Gendre du Grand prêtre Annas, Caïphe (surnom de Joseph) sera à son tour Grand pontife du temple de Jérusalem de 18 à 36. Influent, soutenu par les autorités romaines, Caïphe contribuera activement au jugement et à la condamnation de Jésus.

Capharnaüm

Village situé sur la rive ouest du lac de Tibériade, Capharnaüm sera le théâtre du « Serment de la montagne ». Jésus y rencontrera ses premiers apôtres. C'est là qu'est située la maison de pêcheur de Simon-Pierre.

Cédron

Le Cédron, ou Kédron, est un torrent et une vallée du même nom séparant le mont du Temple du mont des Oliviers. Le Cédron marque la limite sacrée de Jérusalem. Sa vallée est supposée être le lieu de sépultures illustres, selon la légende celle d'Absalom fils de David, celles du roi Josaphat, de Jacques ou encore de Zacharie, père de Jean le Baptiste.

Chour

Le désert de Chour, au nord-ouest de la péninsule du Sinaï, est le lieu où se serait enfuie Agar, la servante de Sarah, avant de mettre au monde Ismaël. C'est dans cette région que les Hébreux poursuivirent leur Exode d'Égypte.

Coptes

Le terme « copte » est issu du grec *Aiguptos*, qui signifie *Égyptien*. Chrétiens d'Égypte, les coptes obéissent à une doctrine édifiée au Ve siècle reconnaissant en Jésus deux natures, une divine, une humaine, comme il existe l'âme et le corps.

David

Fils de Jessé, David reçoit l'onction sacrée de la part du prophète Samuel, qui le fait roi d'Israël. David règne de 1015 à 975 avant J.-C. Il fait de Jérusalem sa capitale et y entrepose l'Arche d'Alliance. Son projet d'y édifier un temple pour Yahvé sera réalisé par son fils Salomon.

Élie

Un des plus importants prophètes d'Israël, Élie, dont le nom signifie « Yahvé est mon dieu », est l'acteur de la première résurrection citée par le récit biblique. Ascète, vêtu comme plus tard Jean le Baptiste d'un manteau de poils et d'un simple pagne, Élie sera enlevé vers le Ciel dans un char de feu.

Essénien

Mouvement religieux du « parti de Dieu », organisé en communautés. Ses membres appelés « les Purs » obéissent à une hiérarchie cultuelle extrêmement rigoureuse. Ils reproduisent sans doute dans le désert l'organisation du temple de Jérusalem et respectent des rites exigeants de purification et de temps sacrés. Le monde essénien est séparé entre lumières et ténèbres, entre pur et impur et entre bien et mal. Les esséniens croient à une rétribution finale, à la venue d'un messie et à une Jérusalem céleste. Ils participent à la révolte de 66 après J.-C. contre Rome et disparaissent après la destruction du Temple en 70 et la chute de Massada en 73.

Galilée

Placée par les Romains sous le contrôle d'Hérode Antipas, la Galilée est un territoire délimité au sud par les montagnes du Carmel et la plaine d'Yizréel, à l'est par le Jourdain et à l'ouest par la mer Méditerranée et les cités phéniciennes de Tyr et de Sidon. À l'origine territoire attribué aux tribus de Nephtali et de Zabulon, la Galilée devient le terreau de la révolte des enfants d'Israël contre Hérode le Grand, puis contre Rome. Les zélotes sont en effet d'abord issus de Galilée.

Géhenne

La vallée d'Hinnom serait située selon les traditions soit dans la vallée du Cédron, soit dans la vallée du Tyropéon qui sépare la cité de David de la colline occidentale de Jérusalem. Peut-être l'ancien lieu où étaient accomplis les sacrifices cananéens au dieu Moloch. La Géhenne est rapidement associée au Shéol et devient le symbole des enfers.

Gerousia

Expression désignant le sénat grec et qualifiant, au fil des traductions et des interprétations, le collège des anciens à Jérusalem, le Sanhédrin ou tribunal religieux supposé avoir jugé Jésus.

Gethsémani

Littéralement « le pressoir à olives » ou encore « le pressoir à huile », le jardin de Gethsémani se trouve à l'orient de la vallée du Cédron, sur le côté du mont des Oliviers. Lieu de réunion de Jésus et de ses disciples, Gethsémani fut notamment le théâtre de la prière solitaire de Jésus se préparant à sa mort terrestre et à son arrestation.

Golgotha

Le « mont du crâne », lieu où Jésus a été crucifié, se trouve hors des murs de Jérusalem, au nord-ouest (comme tout site d'exécution). Lieu aussi du tombeau de Jésus ; s'y dresse aujourd'hui l'église du Saint-Sépulcre élevée par l'empereur Constantin.

Goshen

Le pays de Goshen désigne le territoire en Égypte où se sont installés les descendants du patriarche Jacob à l'invitation de son fils Joseph. Situé à l'est du Delta du Nil, la

« terre de Goshen » ou « pays de Ramsès » est le lieu de l'asservissement des Hébreux et du départ de l'Exode.

Hérode le Grand

Fils de l'Iduméen Antipater et d'une princesse nabatéenne, Hérode est nommé roi d'un large territoire, comprenant notamment la Judée, la Galilée, la Samarie, l'Idumée, par le sénat de Rome en 40 avant J.-C. Ami de Marc Antoine puis d'Auguste, Hérode sera reconnu pour sa cruauté, n'hésitant pas à exécuter sa femme Mariamme et ses deux fils Alexandre et Aristobule. Il abat le second temple de Jérusalem, dit Temple du Retour, et édifie à sa place un temple immense de style helléniste. Hérode fait bâtir des forteresses : Massada, Machéronte, le palais de Jéricho et des cités telles Sébaste et Césarée. Hérode meurt à Jéricho en 4 avant J.-C.

Hérode Archélaüs

Fils aîné d'Hérode le Grand, et frère d'Hérode Antipas, Archélaüs, tétrarque de Judée, de Samarie et d'Idumée de 4 avant J.-C. à l'an 6 après J.-C., sera finalement exilé par Auguste dans la région de Lugdunum en Gaule.

Hérode Antipas

Nommé par Auguste tétrarque de Galilée et de Pérée en 4 avant J.-C., il épouse Hérodiade, mère de Salomé et ancienne femme de son frère Hérode Philippe qu'elle a répudié. Antipas fonde Tibériade en l'honneur de Tibère, dans l'espoir de recevoir un jour le titre de roi. Cela n'arrivera pas. Hérode Antipas est connu pour avoir ordonné l'exécution de Jean le Baptiste. Trahi par son ambition,

Hérode Antipas est exilé par Caligula en Gaule dans la région de Lugdunum, où il sera finalement assassiné sur ordre de l'empereur.

Idumée

Pays biblique d'Édom, l'Idumée s'étend au sud de la Judée au contact de l'Égypte et des territoires arabes.

Isaïe

Ce nom signifiant « Yahvé délivre » désigne l'un des plus importants prophètes du judaïsme, qui exerce son ministère au VIIIe siècle avant J.-C., alors que le pouvoir assyrien occupe une grande partie du territoire d'Israël et menace Juda et Jérusalem. Les prophéties d'Isaïe sont à la source de nombreux récits chrétiens (canoniques ou apocryphes), telles la symbolique du bœuf et de l'âne à la naissance de Jésus, ou celle de la venue de rois d'Orient rendant hommage au Dieu d'Israël (les Mages).

Israël

« Dieu est fort » ou « Dieu est ma force », le nom Israël est donné par Yahvé à Jacob au matin du combat nocturne mené par le patriarche contre une force surnaturelle, peut-être un ange ou Dieu en personne. Sa bravoure suscitera la bénédiction divine. Les douze tribus issues de Jacob deviennent les douze tribus d'Israël.

Jean le Baptiste

Fils de Zacharie le prêtre du temple de Jérusalem et d'Élisabeth, une parente de Marie, Jean le Baptiste est considéré comme le « nouvel Élie ». Son nom *Yohanân* signifie

« Dieu fait grâce ». Il accomplit sa mission dans la région du Jourdain. Lorsqu'il s'oppose au mariage d'Hérodiade avec son beau-frère Hérode Antipas, il est arrêté et enfermé dans la forteresse de Machéronte, où il sera décapité.

Judée

Le royaume de Judée est établi sur le territoire attribué jadis à la tribu de Judas. Les judéens rapatriés de Babylone refondent au VIe siècle avant J.-C. le cœur du pays de Juda et du futur royaume de la dynastie hasmonéenne à partir de Jérusalem et de son temple. En hébreu *Yehoudi*, ceux de la tribu de *Yehouda* (Judas), puis le terme grec *Ioudaĩoi* et le latin *Iudaei* désignent les habitants de Judée ou Juifs.

Lazare

Fils d'Éléazar et frère de Marie de Béthanie et de Marthe.

Magdala

Petite ville florissante située au nord-ouest de Tibériade sur la route de Capharnaüm, sur la rive ouest de la mer de Galilée, qu'on nomme aussi lac de Genésareth ou mer de Tibériade.

Malachie

Prophète qui vécut dans la communauté judéenne rapatriée de l'exil à Babylone. *Le Livre de Malachie* est daté des environs de 450 avant J.-C. Malachie annonce notamment l'avènement d'un universalisme religieux, et encourage un culte rigoureux, seul capable de hâter la venue de l'ère messianique.

Marie

Le nom Myriam en hébreu signifierait « celle qui est élevée ». Selon les interprétations, Myriam désignerait donc « la prophétesse », ou encore « la voyante ».

Messie

Le terme messie est issu de l'hébreu *machiah* qui signifie « oint » et désigne donc celui qui a reçu l'onction divine. Le « Sauveur » et « Rédempteur », supposés arriver à la fin des temps, s'appliquent d'abord à toute personne investie d'une mission divine. Au concept d'ère messianique sont associées les notions de résurrection des morts, de rétribution des actions des hommes comme du peuple, de Jugement dernier, de paradis et d'enfer. D'abord être supérieur choisi par Dieu pour sauver son peuple, le Messie du *Nouveau Testament* devient un être surnaturel, le « fils de l'Homme », puis « le fils du Père ». *Machiah* est traduit en grec par le mot *christos*, « le Christ ».

Michée

Prophète du VIIIe siècle avant J.-C., Michée, dont le nom signifie « qui est comme Dieu », accomplit son ministère dans les montagnes de Judée à l'époque des invasions assyriennes. Il encourage la purification d'Israël, seule action à même de ramener Yahvé au milieu de son peuple et de permettre la libération des captifs et des déportés.

Mont des Oliviers

Ou mont de l'Onction, situé à Jérusalem. Lieu où se réunissaient régulièrement Jésus et ses apôtres.

Nazareth

Bourgade de Galilée situé au sud-ouest de Tibériade, Nazareth est inconnue jusqu'à ce que commence l'histoire de Jésus et l'apparition à Marie de l'ange Gabriel. Le terme nazaréen, qui désigne les natifs de Nazareth, serait issu de l'hébreu *nsurim* qui signifie « rescapé » ou encore « survivant ». Les chrétiens ne sont-ils pas considérés comme « sauvés » ?

Nazir

Consacré à Dieu pour une période donnée, ou à vie tels le prophète Samuel, le héros Samson ou encore Jean le Baptiste, le *nazir*, celui qui a fait vœu de naziréat doit s'abstenir de couper ses cheveux, d'approcher un cadavre, de boire du vin et toute boisson fermentée. À la fin de la période de naziréat, le fidèle se rase la chevelure et la fait brûler sur un autel du temple de Jérusalem situé à l'angle sud-est de la cour des Femmes. C'est exactement ce que fera Paul à l'issue de son vœu à Cenchrées en Grèce.

Ophel

Partie saillante de la colline du temple, construit en étages, l'*Ophel* est le noyau originel de la Jérusalem de David.

Pharisien

Issus de la racine *paras* « séparé », les *perouchim* forment un mouvement religieux centré sur la pratique assidue des commentaires et des interprétations de la loi orale ou écrite, et sur une discipline religieuse et morale qui les maintient séparés des étrangers, autant que de ceux du peuple qui sont ignorants de la loi juive. Les pharisiens, connus à partir du IIe siècle avant J.-C., ne sont pas des prêtres mais des « hommes saints ». Ils influenceront fortement la pratique du judaïsme. Gamaliel, le maître de Saül-Paul, était un pharisien.

Ponce Pilate

Nommé en 26 après J.-C. par l'empereur Tibère, le préfet de Judée assumera sa charge pendant onze ans jusqu'en 36-37, où il sera rappelé à Rome sur ordre du proconsul de Syrie Vitellius, à la suite de sa gestion désastreuse de la Judée, dont fait partie l'exécution de Jésus. Une fois à Rome, la trace de Ponce Pilate se perd. Une rumeur prétend que Ponce Pilate se serait suicidé sous le règne de Caligula, mais il n'existe aucune information tangible à ce sujet.

Prætorium

Le terme *Prætorium*, ou prétoire, désigne dans le *Nouveau Testament* la salle de justice de la résidence du préfet Ponce Pilate où Jésus fut condamné à la crucifixion.

Sadducéen

Groupe polico-religieux actif en Judée à partir du IIe siècle avant J.-C. L'appellation « sadducéen » est inspirée de Sadoq, nom du premier Grand prêtre du temple de Jérusalem nommé par Salomon. Les sadducéens disparaîtront avec la destruction du Temple en 70.

Saint des Saints

Appellation d'après Ézéchiel du *Debir*, la chambre la plus sacrée du temple, carrée, vide et séparée de la salle du culte par un voile. Ne pouvait y entrer que le Grand prêtre une fois par an, lors de la fête de *Kippour*, pour prononcer le tétragramme (Y-A-H-V-E), ou peut-être le nom secret de Dieu, afin d'obtenir l'expiation du peuple. Le Saint des Saints abrita l'Arche d'Alliance jusqu'à sa disparition lors de la destruction du Temple par les Babyloniens en 586 avant J.-C. Saint Jérôme qualifiera le *Debir* de « lieu de la Parole ». La légende rapporte que le lieu du Saint des Saints est aussi celui du sacrifice interrompu d'Isaac par son père Abraham. Ce serait à partir de la terre du *Debir* qu'aurait été façonné le premier homme.

Salomon
Fils de David et de Bethsabée, Salomon règne sur le royaume d'Israël de 970 à 931 avant J.-C. Il édifie le temple de Jérusalem sur l'aire achetée par David au Jébouséen Ôrnan. En 586 avant J.-C., le temple de Salomon est détruit par les Babyloniens de Nabuchodonosor. Il sera reconstruit entre 537 et 515 par les Judéens rapatriés de leur exil à Babylone.

Samarie
Région nommée après l'ancienne capitale du royaume de l'Israël du Nord détruit par l'envahisseur assyrien au VIIIe siècle avant J.-C. Le pays de Samarie, situé au nord de la Judée et au sud de la Galilée, correspond au territoire attribué jadis aux tribus de Joseph, de Manassé et d'Éphraïm. Au temps de Jésus, la Samarie est sous contrôle romain. Les Samaritains sont considérés comme des païens par les Judéens et les Galiléens, notamment en raison de leur temple dissident édifié au mont Garizim, puis détruit en 128 avant J.-C. par les forces royales judéennes.

Sanhédrin

Haute cour de justice basée à Jérusalem, chargée des affaires religieuses et du rituel du Temple, des affaires administratives et des infractions à la loi religieuse. Le Sanhédrin est supposé avoir jugé Jésus. Cette situation semble être incompatible avec l'Histoire. Les pouvoirs judiciaires du Sanhédrin ont été fortement diminués par Hérode le Grand. Prononcer une peine de mort appartenait au seul pouvoir romain, au préfet Ponce Pilate en ce qui concerne le sort de Jésus.

Shéol

Le monde souterrain, le Shéol, est le lieu de séjour de tous les défunts (juifs ou païens). Tous les humains, quelles que soient leurs actions, séjourneront au Shéol, excepté Hénoch et Élie, puis Moïse. Associé tardivement à l'enfer, le Shéol n'est toutefois pas un lieu de châtiments jusqu'aux prophéties d'Isaïe et d'Ézéchiel. Le prophète Daniel annoncera une issue au Shéol, promettant que ceux qui dorment au pays de la poussière se réveilleront pour la vie éternelle. Les coupables d'actions répréhensibles se réveilleront pour une réprobation éternelle.

Siloé

Bassin ou ancien étang, la piscine de Siloé, située intramuros au sud-est de Jérusalem, reçoit l'eau de la source du Gihon par un canal creusé dans la roche de la vallée du Cédron par le roi Ézéchias, au VIIIe siècle avant J.-C. Jésus rendra la vue à un aveugle purifié par l'eau de Siloé sur ses conseils.

Temple de Jérusalem

Temple unique de la cité, il fut édifié par Salomon sur les plans de son père le roi David au xe s. avant J.-C. D'abord détruit en 586 avant J.-C. sur l'ordre de Nabuchodonosor, il fut reconstruit entre 538 et 510 avant J.-C., puis détruit de nouveau en 70 après J.-C. par les légions romaines de Titus.

Tibère

Adopté par Auguste, Tibère lui succède en 14 et règne jusqu'en 37 sous le nom de *Tiberius Iulius Caesar*. Il nomme préfet de Judée Ponce Pilate, en 26, qui assumera cette charge onze ans jusqu'en 36-37 où il sera rappelé à Rome sur ordre du proconsul de Syrie Vitellius. Caligula succédera à Tibère.

Traqlin

Terme hébraïsant d'architecture hérodienne et gréco-romaine désignant le *triclinium*, salle de réception ou de banquet des maisons romaines.

Véronique

Ce nom désigne en fait le linge lui-même qu'une jeune femme aurait tendu à Jésus sur le chemin du Golgotha pour qu'il s'essuie le visage. Les traits de Jésus y seraient restés fixés et le linge appelé désormais *vera icona* puis *veronica*. L'image-relique est conservée à Saint-Pierre de Rome.

Xyste

Le xyste désigne un espace, portique, jardin ou gymnase destiné aux exercices du corps. Un rapport au corps et à la nudité qui est incompatible avec l'obligation de pudeur des Juifs et des futurs chrétiens. La place du Xyste se trouve à proximité de l'ancien palais des Hasmonéens.

Zélote

Issus des pharisiens, les zélotes formaient un mouvement politico-religieux ne reconnaissant pour seul maître que Dieu. Il est sans doute né sous l'impulsion de Judas le Galiléen lors du recensement de Quirinius. Décidés à provoquer la venue de l'ère messianique, les zélotes combattaient tout autre pouvoir, à commencer par l'occupant romain. Les zélotes ont inspiré et provoqué la révolte de 66 après J.-C. contre Rome.

Les principaux évangiles et textes apocryphes à la source de cet ouvrage

Actes de l'apôtre Thaddée

Texte rédigé en grec au VIIe siècle.

Déclaration de Joseph d'Arimathie

Texte rédigé d'abord en grec, puis en géorgien et en arabe, daté entre le milieu du IVe siècle et le VIe siècle.

Éloge de Jean-Baptiste

Cette œuvre aurait été écrite vers le Xe siècle.

Épître des Apôtres

Ou *Epistula apostolorum*, aurait été rédigé dans la seconde partie du IIe siècle.

L'Évangile en arabe de l'enfance

Ou *Vie de Jésus en arabe,* inspiré du *Protévangile de Jacques*, rédigé avant le VIe siècle.

L'Évangile arménien de l'enfance

Rédigé entre les Ve et VIe siècles.

L'Évangile des Ébionites
Ou *Évangile des Douze apôtres*, sans doute rédigé au IIe siècle.

L'Évangile de l'enfance de Jésus
Parfois défini à tort comme « selon Thomas », ce texte a été rédigé dans la seconde partie du IVe siècle.

L'Évangile selon les Hébreux
Rédigé en grec à la fin du IIe siècle.

L'Évangile selon Thomas
Rédigé à l'origine en grec entre le Ier siècle et 200.

L'Évangile de Judas
Ce texte aurait été composé en grec au milieu du IIe siècle.

L'Évangile secret de Marc
L'existence de ce texte a été révélée par une lettre de Clément d'Alexandrie (150-200).

Le protévangile de Jacques
Ou *Protévangile de Jacob*, rédigé en grec vers le IVe siècle, est inspiré d'un texte écrit vers 150.

L'Évangile des Nazaréens
Texte rédigé sans doute à la fin du IIe siècle.

L'Évangile de Marie
Ou *Évangile de Marie de Magdala*, aurait été rédigé au milieu du IIe siècle.

L'Évangile de Philippe

Rédigé pour certains au début du IVe siècle, ce texte date plus vraisemblablement du milieu du IIe siècle.

L'Évangile de Pierre

Ce texte est connu à travers un manuscrit rédigé en grec au VIe siècle. Son existence aurait été attestée dès le IIe siècle.

L'Évangile de la nativité de Marie

Rédigé vers 800, sans doute inspiré de l'*Évangile du Pseudo-Matthieu*.

L'Évangile de Nicomède

Inspiré en partie des *Actes de Pilate*, ce texte rédigé au Ve siècle s'appuie sur des textes antérieurs, sans doute du IVe siècle.

L'Évangile du Pseudo-Matthieu

Ou *Évangile de la Nativité de Marie et de la naissance du Sauveur*, rédigé au VIe siècle, inspiré notamment du *Protévangile de Jacques*.

L'Évangile de Thomas l'Israélite

Ou *Enfance du Seigneur Jésus*, rédigé au IIe siècle.

Histoire de Joseph le charpentier

Rédigé en grec au IVe siècle.

Le Livre du Coq

Récit populaire dans le christianisme éthiopien, traduit en arabe, transmis d'abord oralement. N'aurait été fixé que vers le XIVe siècle.

Livre du Passage de Marie

Ou *Assomption de la Vierge Marie*, ou encore *Dormitio Mariae*, ce texte à l'origine en grec daterait du IVe siècle.

Livre du Passage de la très sainte vierge mère de Dieu

Texte attribué à l'évêque de Sardes, Méliton, rédigé au Ve siècle.

Mort de Pilate

Texte rédigé peut-être entre le VIe et le VIIe siècle.

Les Oracles Sibyllins

Recueil de textes composés entre les IIe et VIIe siècles.

Pistis Sophia

Traité rédigé en grec au début du IVe siècle.

Questions de Barthélemy

Le texte original a dû être rédigé entre les VIIe et VIIIe siècles.

Rapport de Pilate

Daté de la seconde moitié du IVe siècle.

Quelques sources et bibliographie partielle

Abécassis A., *En Vérité, Je vous le dis,* Éditions N°1, 1999

Amiot F., *La Bible apocryphe, Évangiles apocryphes*, choisis et présentés par Daniel Rops, Fayard, 1952

Banon P., *Flavius Josèphe, un Juif dans l'Empire romain*, Presses de la Renaissance, 2007 ; *Le Jumeau du Christ, biographie de Jean le Baptiste*, Presses de la Renaissance, 2010

Bernheim P.A., *Jacques, frère de Jésus,* Albin Michel, 2003

Bovon F., Geoltrain P., *Écrits apocryphes chrétiens,* Vol. I, Paris, Gallimard, « La Pléiade », 1997

Bovon F., *Les Derniers Jours de Jésus,* Labor et Fides, 2004

Briquel Chatonnet F., Debié M., *Les Apocryphes et l'histoire*, in « Sur les pas des Araméens chrétiens », Geuthner, 2010

Chrétien J. L., *Symbolique du corps : la tradition chrétienne du Cantique des Cantiques*, PU, 2005.

Dauzat P. E., *Judas, de l'Évangile* à *l'Holocauste*, Perrin, 2008

Dupont-Sommer A., Philoenenko M. (sous la direction de), *La Bible : Écrits intertestamentaires*, Paris, Gallimard, collection « La Pléiade », 1987

Eusèbe de Césarée, *Histoire ecclésiastique*, Commentaire, sous la direction de Sébastien Morle, Lorenzo Perrone, Belles Lettres/Le Cerf, 2012

Geoltrain P., Kaestli J.D., *Écrits apocryphes chrétiens*, Vol. II, Gallimard, « La Pléiade », 2005

Goodman M., *Rome et Jérusalem,* Perrin, 2009

Hureaux R., *Jésus et Marie-Madeleine,* Perrin, 2006

Kasser R., Meyer M., Wurst K., *L'Évangile de Judas,* Flammarion, 2006

Leloup J. Y., *L'Évangile de Thomas*, Albin Michel, 1986 ; *L'Évangile de Marie,* Albin Michel, 1997 ; *L'Évangile de Philippe*, Albin Michel, 2003

MacMullen R., *Christianisme et paganisme du IVe au VIIIe siècle,* Les Belles Lettres, 1998

Mara M. G., *Évangile de Pierre*, Éditions du Cerf, 1973

Mopsik C., *Les Évangiles de l'Ombre,* Lieu Commun, 1983

Mopsik C. (Présentation et traduction), *Lettre sur la Sainteté, La relation de l'homme avec sa femme,* Verdier, 1993

Mopsik C. (Annotations et introduction), *Le Zohar, Cantique des Cantiques,* Verdier, 1999

Pinéro A., *L'Autre Jésus,* Éditions du Seuil, 1996

Puech H. C., *La Formation des religions universelles et des religions du Salut dans le monde méditerranéen et le Proche-Orient, les religions constituées en Occident et leurs contre-courants,* Histoire des religions, Vol. II, Gallimard, « La Pléiade », 1983

Quéré F., *Évangiles apocryphes*, Éditions du Seuil, 1983
Vidal M., *Un Juif nommé Jésus,* Albin Michel, 1996
Voragine J. de, *La Légende dorée,* traduction de J.-B. M. Roze, Garnier-Flammarion, 1967

Table des matières

Direction littéraire
Ambre Rouvière

Composition : Compo-Méca s.a.r.l.
64990 Mouguerre

Imprimé au Canada
par
Marquis Imprimeur

Dépôt légal :
ISBN : 978-2-7499-1744-3
LAF 1596